Lucia Maddii   Maria Carl

Forte! 2

Corso multimediale di lingua italiana per bambini

EDILINGUA

www.edilingua.it

Lucia Maddii, laureata in Pedagogia, è stata per lungo tempo docente in classi plurilingue ed ha operato come insegnante facilitatrice in laboratori linguistici rivolti ad alunni stranieri frequentanti la scuola primaria italiana. Ha lavorato come docente distaccata presso l'Agenzia Nazionale per lo Sviluppo dell'Autonomia Scolastica (ex IRRE) della Toscana occupandosi di formazione dei docenti di ogni ordine e grado sui temi dell'educazione interculturale, dell'accoglienza degli alunni stranieri e della didattica dell'italiano L2/LS sia in Italia sia all'estero. Su questi temi è stata coordinatrice di progetti europei e collabora con Università, Associazioni e Amministrazioni Comunali per la progettazione di iniziative di sostegno al successo scolastico degli alunni con cittadinanza non italiana. Attualmente è dirigente scolastico. Ha pubblicato numerosi articoli e materiali didattici anche multimediali per l'insegnamento dell'italiano a bambini stranieri.

Maria Carla Borgogni, laureata in Lettere Moderne, ha conseguito la certificazione in Didattica dell'italiano come lingua straniera ed è stata docente in classi plurilingue, insegnante facilitatrice in percorsi e interventi linguistici rivolti ad alunni stranieri frequentanti la scuola primaria e secondaria italiana. Attualmente è docente di scuola secondaria di primo grado, promotrice e coordinatrice di interventi didattici e laboratori di italiano come L2/LS. Si occupa della formazione dei docenti di ogni ordine e grado sui temi dell'accoglienza degli alunni stranieri e della didattica dell'italiano L2/LS. Consulente e referente per Centri di Documentazione e Amministrazioni locali progetta e coordina percorsi didattici e interventi rivolti ad alunni con cittadinanza non italiana. Ha pubblicato articoli e materiali didattici per l'insegnamento dell'italiano a bambini e ragazzi stranieri.

Un grazie speciale alle nostre famiglie e in particolare ai nostri figli Caterina, Daniele, Francesco e Matteo che ci hanno sostenuto con pazienza e affetto.

© **Copyright edizioni Edilingua**
Sede legale
Via Alberico II, 4 00193 Roma
Tel. +39 06 96727307
Fax +39 06 94443138
www.edilingua.it
info@edilingua.it

Deposito e Centro di distribuzione
Via Moroianni, 65 12133 Atene
Tel. +30 210 5733900
Fax +30 210 5758903

II edizione: agosto 2011
ISBN: 978-960-693-044-7
Redazione: L. Piccolo, A. Bidetti, M. Dominici
Illustrazioni del libro: G. Chatzakis, E. Moriconi; animazioni video in 3D: M. Fantechi
Impaginazione e progetto grafico: *Edilingua*
Registrazione dialoghi e composizione musiche: *Egea* Edizioni Discografiche, Perugia
Arrangiamento musiche e registrazione canzoni: *Melamusic*, Bussolengo (VR)
Realizzazione tecnica del CD-ROM: *Autori multimediali*, Milano

Grazie all'adozione dei nostri libri, Edilingua adotta a distanza dei bambini che vivono in Asia, in Africa e in Sud America. Perché insieme possiamo fare molto! Ulteriori informazioni nella sezione "Chi siamo" del nostro sito.

Stampato su carta priva di acidi, proveniente da foreste controllate.

Ringraziamo per la collaborazione e gli spunti offerti nella fase di elaborazione:
i docenti che hanno frequentato i corsi di formazione sulla didattica dell'italiano L2 organizzati dall'IRRE Toscana e i docenti albanesi del Progetto Illiria (progetto per la Promozione della Lingua Italiana in Albania).
Per il sostegno e l'incoraggiamento:
i docenti della Direzione Didattica di Figline Valdarno (FI), dell'Istituto Comprensivo "Petrarca- Magiotti" di Montevarchi (AR) e dell'Istituto Comprensivo "Giovanni XXIII" di Terranuova Bracciolini (AR).
Per la traduzione delle icone:
Abdelillah Balboula per la lingua araba, Tone Marashi Mehilli per la lingua albanese e Zheng Danmei per la lingua cinese.

Ringraziamo sin d'ora i lettori e i colleghi che volessero farci pervenire eventuali suggerimenti, segnalazioni e commenti sull'opera (da inviare a redazione@edilingua.it)

Premessa

Forte! - Il Corso

Forte! è un corso originale e innovativo per bambini e ragazzi dai 7 agli 11 anni che si avvicinano allo studio della lingua italiana in Italia o all'estero; è adatto anche a bambini di 6 anni già alfabetizzati e in contatto con la lingua italiana.
Inoltre, per i bambini più piccoli sono stati pensati e realizzati due volumi propedeutici: Piccolo e forte! A e Piccolo e forte! B.

Piccolo e forte! A è indicato per bambini di età compresa fra i 4 e i 6 anni e prevede un primo contatto con l'italiano esclusivamente orale.
Piccolo e forte! B è indicato per bambini di età compresa fra i 5 e i 7 anni, che si avvicinano all'apprendimento della lingua italiana anche scritta.

In base all'età e alla competenza linguistica dei bambini, si può scegliere di utilizzare:
* Piccolo e forte! A e poi Piccolo e forte! B prima di passare a *Forte! 1*
  oppure
* Piccolo e forte! B prima di passare a *Forte! 1*.

Grazie alla flessibilità dei materiali, *Forte!* può essere utilizzato in diversi contesti d'insegnamento in base agli studenti, alla classe, alle lingue di origine e al loro livello di alfabetizzazione.

Dall'esperienza a *Forte!* - L'Esperienza

Forte! nasce dall'esperienza diretta delle autrici come insegnanti di italiano lingua straniera e come formatrici di docenti della scuola primaria e secondaria di primo grado in Italia e all'estero; esperienze durante le quali hanno maturato l'idea di realizzare il materiale del corso, sottoponendolo poi a continua verifica e sperimentazione in classe.

Le scelte - I Punti di Forza

Il corso si fonda su un'attenta analisi dei bisogni linguistico-comunicativi dei bambini e dei ragazzi che si avvicinano alla lingua italiana e si sviluppa avendo come punto fermo la loro centralità nel processo di apprendimento-insegnamento della lingua.
Perciò le proposte didattiche, nel rispetto dei diversi stili cognitivi e delle naturali tappe di apprendimento di una lingua, si rifanno essenzialmente ad un approccio umanistico-affettivo e a metodologie ludiche.
In questa prospettiva, si è considerata l'importanza della motivazione dei ragazzi all'apprendimento della lingua attraverso un approccio coinvolgente, in cui ascolti e dialoghi presentino un modello corretto, ma quanto più vicino alla lingua d'uso.
Il corso ha come filo conduttore le divertenti avventure illustrate a fumetti di cinque ragazzi di differente nazionalità e dei loro amici.
La ricchezza dei materiali e la ripresa successiva dei contenuti, presentati secondo un andamento a spirale, rendono *Forte!* un corso flessibile, adattabile a diversi stili di apprendimento e a diversi contesti d'insegnamento.

Forte!

Forte! 2 (livello A1+)

Il *Libro dello studente ed esercizi* si articola in:

- 1 Unità introduttiva e 7 Unità, che hanno come filo conduttore una simpatica storiella. Le unità sono suddivise a loro volta in tre sotto-unità (●●●), ciascuna introdotta da un'attività motivante che richiama la storia che fa da sfondo. Seguono attività di comprensione e produzione, canzoni e filastrocche. Le attività sono accompagnate da uno o più simboli per rendere più chiaro il compito da svolgere. Al termine di ogni unità si trova la sezione Vocabolario per la ripresa delle parole impiegate;

- 3 Intervalli!!!, ricchi di attività e giochi stimolanti per il riepilogo delle conoscenze;

- Esercitiamóci!, sezione per il consolidamento e il reimpiego delle strutture;

- L'angolo della grammatica, con box grammaticali, formule ed esempi d'uso;

- L'angolo del taglia e incolla, in appendice, con le immagini e le frasi da ritagliare e utilizzare durante le attività proposte;

- CD audio (allegato al libro), contenente i brani di ascolto e le canzoni;

- CD-ROM (allegato al libro), contenente animazioni in 3D (basate su uno o due dialoghi di ogni unità) e il karaoke di tutte le canzoni. Le attività del libro che rimandano al CD-ROM sono contrassegnate dal simbolo  . L'insegnante potrà così presentare l'input sotto varie forme e in maniera sempre stimolante: di alcuni dialoghi avremo la semplice lettura, di altri lettura + ascolto e di altri ancora lettura + ascolto + video; inoltre potrà far ascoltare prima le canzoni, con il CD audio, e poi farle cantare ai bambini che in questo modo impareranno giocando.

La *Guida per l'insegnante* fornisce spiegazioni dettagliate, indicazioni e consigli per lo svolgimento delle attività e dei giochi. Per ogni unità presenta:

- uno schema dei contenuti, utile anche in fase di programmazione delle attività didattiche;

- attività preparatorie, che servono ad avvicinare i bambini ai contenuti dell'unità;

- attività per il consolidamento e per lo sviluppo delle abilità di base.

È ricca di schede e materiale di lavoro fotocopiabili, carte, immagini per realizzare memory, tombole e flashcard.

Nel nostro sito www.edilingua.it sono disponibili vari materiali didattici: motivanti *giochi interattivi* per i bambini e le *flashcard* della Guida.

Completano *Forte!*:

- *Giochiamo con Forte!*, kit con oltre 50 giochi ispirati al corso;

- *Forte in grammatica!*, volume che presenta in modo chiaro, intuitivo e giocoso le strutture fondamentali della lingua e le esercita tramite attività di vario genere.

Edizioni Edilingua

Elenco dei simboli

con traduzione in inglese, spagnolo, **francese**, tedesco, portoghese, albanese, cinese e arabo.

 Leggi/Osserva; Read/Observe; Lee/Observa; **Lis/Observe**; Lies/Betrachte; Lê/Observa; Lexo/Vërej; 读/观察; اقرَأ - لاحِظ

 Disegna/Colora; Draw/Colour; Dibuja/Colorea; **Dessine/Colore**; Zeichne/Male aus; Desenha/Colora; Vizato/Ngjyros; 涂颜色/画画; ارسُمْ - لوِّنْ

 Scrivi/**Completa**; Write/Complete; Escribe/Completa; **Ecris/Complète**; Schreib/Ergänze; Escreve/Completa; Shkruaj; 写; اكْتُبْ - أكْمِلْ

 Ascolta; Listen; Escucha; **Ecoute**; Höre zu; Ouve; Dëgjo; (注意)听; استَمِع

 Ritaglia e incolla; Cut out and paste; Corta y pega; **Découpe et colle**; Schneide aus und klebe auf; Recorta e cola; Prej e ngjit; 先剪后粘贴; قصّ وألصِق

 Unisci; Join together; Une; **Assemble**; Verbinde; Une; Bashkoj; 连接; صِلْ

 Mima; Mime; Imita; **Mime**; Ahme nach; Mima; Kopjoni; (不出声)以动作表达; قَلِّد

 Parliamo/Ripeti; Let's speak/Repeat; Hablamos/Repite; **Parlons/Répète**; Wir sprechen/Wiederhole; Fala/Repete; Flasim/Përserit; 一起说/重复(一遍); لِنَتَحَدّثْ - أعِدْ

 Cerca; Find; Busca; **Cherche**; Finde; Procura; Kërko; 找一找; ابْحَثْ

 Cantiamo; Let's sing; Cantamos; **Chantons**; Lasst uns singen; Canta; Këndojmë; لِنُغنّ 一起唱歌;

 Metti in ordine; Put in the correct order; Ordena; **Mets en ordre**; Ordne an; Coloca em ordem; Vendosni në radhë; 把东西整理好; رتِّبْ

 Fai le attività 5-7 in *Esercitiamoci!*; Complete activities 5-7 in *Esercitiamoci!*; Haz las actividades 5-7 en *Esercitiamoci!*; **Fais les activités 5-7 dans *Esercitiamoci!***; Mach die Übungen 5-7 in *Esercitiamoci!*; Faz as actividades 5-7 em *Esercitiamoci!*; Kryej aktivitetet 5-7 ne *Esercitiamoci!*; 在*Esercitiamoci!*中, 请做第5-7项; قُمْ بالأنشِطة 5 . 7 ب *Esercitiamoci* I

1 Leggi.

2 Mi chiamo...

Io mi chiamo Hamid.

Io ....

Io ....

Io ....

Io ....

Io ....

3 Come ti chiami?

LA MIA FOTO

E tu, come ti chiami? ....

....

Quanti anni hai? ....

Che classe fai? ....

Edizioni Edilingua

4 Metti nell'insieme giusto.

cattedra ● quattordici ● sedia ● verde ● blu ● pasta ● undici ●
pizza ● camera ● panino ● dieci ● cucina ● palla ● banco ●
bambola ● orsetto ● divano ● giallo

Scuola	Colori	Numeri

Casa	Cibo	Giocattoli

5 Osserva!

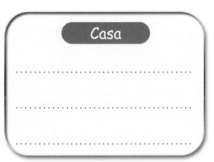

IO SONO

TU SEI

LUI È

LEI È

MAGO TRASFORMINO

NOI SIAMO

VOI SIETE

LORO SONO

LORO SONO

6 Ascolta e canta: "Forte!".

1 - 5

Come siamo belli!

1 **Ritaglia i cartellini a pagina 125 e incolla al posto giusto.**

Edizioni Edilingua

2 Ascolta e completa con: CAPELLI, OCCHI, BOCCA, PIEDE.

Come siamo belli!

3 Metti ✓.

	VERO	FALSO
1. La bambola ha la bocca piccola.	○	○
2. Ha gli occhi grandi.	○	○
3. Ha il naso lungo.	○	○
4. Ha la bocca grande e il naso piccolo.	○	○
5. Ha i capelli rossi.	○	○

4 Scrivi il nome.

PIK   TIM   GIM   TOM

.... ha la pancia verde, le braccia rosa e le gambe blu.

.... ha le gambe rosse e le braccia blu.

.... ha i piedi marroni, le braccia verdi e le gambe gialle.

.... ha le mani gialle, le braccia verdi e le gambe blu.

1

Edizioni Edilingua

1 Leggi.

2 Osserva e unisci.

Guarda come sono bella! Ho i capelli...

CASTANI   BIONDI   NERI   ROSSI

Guarda come sono bella! Ho i capelli...

RICCI   LISCI

Guarda come sono bella! Ho i capelli...

CORTI   LUNGHI

3 Osserva e scrivi.

EDMOND

Edmond ha i capelli biondi.

NERI   BIONDI   CASTANI

HAMID

PAULA

Paula e Hamid hanno i capelli ....

ROSSI

NERI

CASTANI

HAMID

Hamid ha i capelli ....

RICCI

LISCI

SIMONE

EDMOND

Simone e Edmond hanno i capelli ....

CORTI

LUNGHI

FANG FANG

Fang Fang ha i capelli ....

LISCI E BIONDI   RICCI E NERI   LISCI E NERI

4 Ascolta e canta: "I capelli".

Belli belli
sono i capelli
lisci, ricci, neri o biondi
rossi, castani, lunghi o corti
belli belli sono i capelli

2 - 3

1 Leggi.

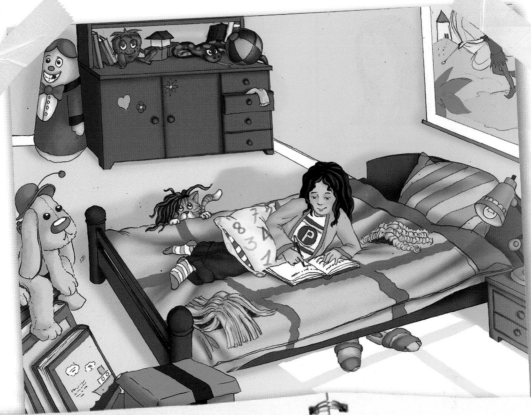

20 ottobre

Caro diario,
ho una nuova amica inglese, si chiama Anne.
Viene da Bedford. Abita in via Roma.
Anne ha due sorelle e un fratello. Anche
lei ha nove anni e fa la quarta classe.
Le sorelle di Anne hanno i capelli castani e ricci.
La mamma di Anne ha i capelli biondi e lisci,
gli occhi neri e la bocca piccola.

Domani è il compleanno di Anne.
Io e Fang Fang abbiamo
un bel regalo per lei.

Tanti auguri Anne !!!!!

Edizioni Edilingua

2 Osserva e cerca: chi è la mamma di Anne?

21 ottobre
Caro diario,
questa è la foto del compleanno di Anne.

3 Vero o falso? Metti ✓.

	V	F
1. La mamma di Anne ha i capelli neri e lisci.	○	○
2. La mamma di Anne ha i capelli biondi e ricci.	○	○
3. La mamma di Anne ha i capelli biondi e lisci.	○	○
4. La mamma di Anne ha i capelli corti e gli occhi neri.	○	○
5. La mamma di Anne ha i capelli lunghi e gli occhi neri.	○	○

4 Disegna e descrivi come sei.

Io mi chiamo ....

Io ho .... anni.

Ho i capelli ...., ... e ....

Il mio naso è ....

Gli occhi ....

La bocca ....

5 Leggi e completa.

Io **ho** gli occhi verdi.

Tu **hai** i capelli biondi e lisci.

Lui **ha** la bocca grande.

Noi **abbiamo** i capelli neri.

Voi **avete** gli occhi verdi.

Loro **hanno** i capelli lisci.

1. Io .... i capelli rossi e corti.

2. Tu .... gli occhi blu.

3. Lui .... il naso piccolo.

4. Lei .... la bocca piccola.

5. Noi .... i capelli corti.

6. Voi .... gli occhi blu.

7. Loro .... i capelli ricci.

4 - 6

VOCABOLARIO

Ritaglia, incolla le figure a pagina 127 e scrivi.

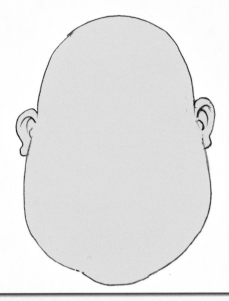

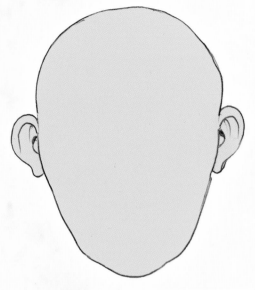

I capelli sono ....
Gli occhi sono ....
Il naso è ....
La bocca è ....

I capelli sono ....
Gli occhi sono ....
Il naso è ....
La bocca è ....

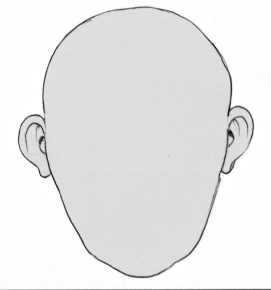

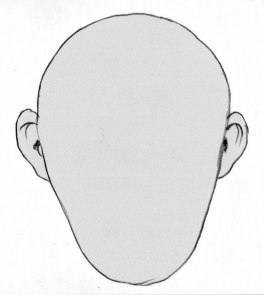

I capelli sono ....
Gli occhi sono ....
Il naso è ....
Le orecchie sono ....
La bocca è ....

I capelli sono ....
Gli occhi sono ....
Il naso è ....
Le orecchie sono ....
La bocca è ....

Quando facciamo i compiti?

 1 Ascolta e colora.

2 Leggi e completa.

Le materie scolastiche di Simone	Le tue materie scolastiche
	Matematica

Italiano

Matematica

Scienze

Geografia

Storia

Musica

Inglese

Arte

Informatica

Attività motoria

Religione

....

....

....

....

....

....

....

....

....

....

3 Rispondi: "È facile?", "È difficile?".

Italiano è facile!

Musica è difficile!

E per te?

Italiano ....

Matematica ....

Scienze ....

Geografia ....

Storia ....

Musica ....

4 Rispondi: "Quale materia ti piace?".

A me piace musica.

A me piace italiano.

In italiano possiamo anche dire:
A me piace **la** musica.
A me piace **l'**italiano.

Quale materia ti piace?

....

5 Chiedi a tre compagni e scrivi le risposte.

Quale materia ti piace?

1 .... 2 .... 3 ....

1

1 **Il diario di Simone. Completa i giorni della settimana: metti le lettere al posto giusto.**

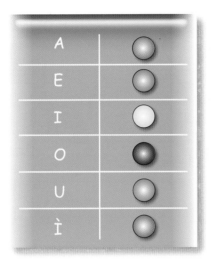

A	◯
E	◯
I	◯
O	◯
U	◯
Ì	◯

I giorni della settimana sono:

lunedì

....

....

....

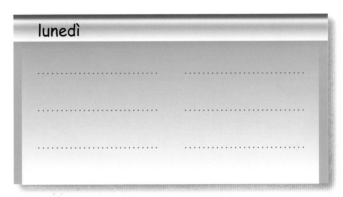

L◯N◯D◯	M◯RT◯D◯	M◯RC◯L◯D◯	G◯◯V◯D◯	V◯N◯RD◯	S◯B◯T◯	D◯M◯N◯C◯
Lunedì	M............	M............	G............	V............	S............	D............
Italiano	Storia	Italiano	Matematica	Italiano		
Matematica	Geografia	Scienze	Musica	Inglese		
Informatica	Arte	Religione	Italiano	Attività motoria		

2 Ascolta e completa con: SETTIMANA, LUNEDÌ, DOMENICA, SABATO.

LUNE LUNEDÌ
MARTE MARTEDÌ
MERCOLEDÌ
GIOVE GIOVEDÌ
VENE VENERDÌ
SABATO E
DOMENICA!

3 Unisci. Leggi il diario a pag. 23 e aiuta Simone a preparare lo zaino.

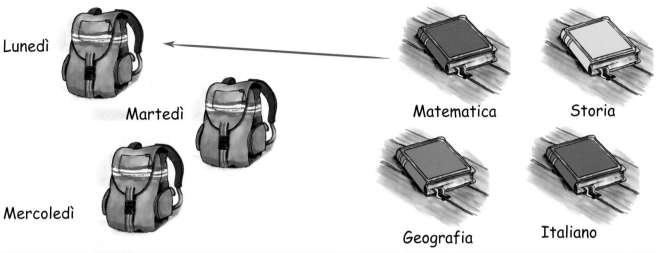

Lunedì

Martedì

Mercoledì

Matematica

Storia

Geografia

Italiano

4 Completa la tabella.

IERI	OGGI	DOMANI
sabato	domenica	lunedì
	giovedì	
lunedì		
	mercoledì	
venerdì		

5 Chiedi a due compagni: "Tu che cosa fai?". Racconta anche tu.

NOME	Lunedì	Martedì	Mercoledì	Giovedì	Venerdì	Sabato	Domenica
IO							

2 - 3

1 Leggi.

2 Che ore sono? Leggi e completa.

Sono le ...due....

Sono le ....

Sono le ....

Sono le ....

Sono le ....

Sono le ....

Sono le ....

Sono le ....

3 Leggi e completa con: DEVO, POSSO, VOGLIO.

Simone, **devi** fare i compiti?
Sì, devo fare i compiti.

2. Edmond, **vuoi** andare a casa?
   Sì, ... andare a casa.

1. Simone, **devi** finire i compiti?
   Sì, ... finire i compiti di matematica.

3. Fang Fang, **puoi** venire a casa mia?
   Sì, ... venire a casa tua.

Forte!

Quando facciamo i compiti?

4 Osserva.

SALTARE	CORRERE	DORMIRE
Io salto	Io corro	Io dormo
Tu salti	Tu corri	Tu dormi
Lui/Lei salta	Lui/Lei corre	Lui/Lei dorme
Noi saltiamo	Noi corriamo	Noi dormiamo
Voi saltate	Voi correte	Voi dormite
Loro saltano	Loro corrono	Loro dormono

5 Osserva e completa.

	IO	SIMONE	NOI
SALTARE	....	salta	saltiamo
CORRERE	corro	....	....
DORMIRE	dormo	dorme	dormiamo
SCRIVERE	....	....	....
MANGIARE	mangio	....	....
GIOCARE	....	gioca	giochiamo
LEGGERE	leggo	....	....

6 Ascolta e canta la canzone "ARE ERE IRE".

ARE ERE IRE

Are ere ire
per mangiare, leggere, dormire
Are ere ire
tante cose da scoprire

Are: **MANGIARE!**
io mangio tu mangi lui mangia
poi gli viene il mal di pancia

Are ere ire
per studiare, scrivere, sentire
Are ere ire
tante cose da scoprire

Ere: **CORRERE!**
io corro tu corri lei corre
e poi sale sulla torre

Edizioni Edilingua

Are ere ire
per cantare, vincere, partire
Are ere ire
tante cose da scoprire

Ire: SENTIRE!
io sento tu senti lui sente

poi non si ricorda niente

Are ere ire
per parlare, ridere, capire
Are ere ire
tutto il mondo da scoprire

4 - 7

VOCABOLARIO

1 Che confusione! Aiuta Simone a mettere in ordine le materie scolastiche.

 GEO TICA

 SCI RIA

MU GRAFIA

 STO SICA

 ITA GLESE

INFOR ENZE

 MATEMA MATICA

 IN LIANO

Italiano
....
....
....
....
....
....
....
....

2 Ritaglia e incolla le quattro figure corrette a pagina 129. Metti al posto giusto.

| Sono le dieci. | Sono le tre. | Sono le nove. | Sono le undici. |

Forte!

1 Cerca i giorni della settimana.

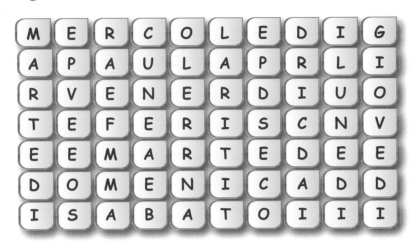

M	E	R	C	O	L	E	D	I	G
A	P	A	U	L	A	P	R	L	I
R	V	E	N	E	R	D	I	U	O
T	E	F	E	R	I	S	C	N	V
E	E	M	A	R	T	E	D	E	E
D	O	M	E	N	I	C	A	D	D
I	S	A	B	A	T	O	I	I	I

Cerchia le lettere rimaste e scopri il giorno preferito di Paula.

....

2 Ascolta e canta: "I giorni della settimana".

3 Che ore sono? Ritaglia e incolla le lancette a pagina 129.

Sono le cinque.

Sono le sei.

Edizioni Edilingua

Sono le dodici.

Sono le dieci.

4 Simone scrive un messaggio segreto a Edmond. Aiuta Edmond.

A	¬		N	Ш
B	≥		O	÷
C	∧		P	↕
D	∩		Q	■
E	%		R	◇
F	#		S	◖
G	⊙		T	+
H	‼		U	×
I	<		V	≤
J	▲		W	ϟ
K	±		X	Ʒ
L	~		Y	€
M	>		Z	¥

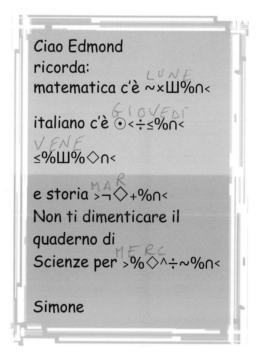

Ciao Edmond
ricorda:
matematica c'è ~×Ш%∩<   *LUNE*

italiano c'è ⊙<÷≤%∩<   *GIOVEDÌ*

≤%Ш%◇∩<   *VENE*

e storia >¬◇+%∩<   *MAR*
Non ti dimenticare il
quaderno di
Scienze per >%◇∧÷~%∩<   *MERC*

Simone

Scrivi sul diario di Edmond le materie.

LUNEDÌ	MARTEDÌ	MERCOLEDÌ	GIOVEDÌ	VENERDÌ	SABATO

5 Leggi e disegna i bambini.

David ha i capelli corti, neri e gli occhi verdi.

Piero ha i capelli biondi, lisci e gli occhi azzurri.

Samira ha i capelli neri, lunghi e ricci e gli occhi neri.

Carla ha gli occhi blu e i capelli biondi, lisci e lunghi.

Leo ha i capelli rossi, corti e gli occhi verdi.

Edizioni Edilingua

 6 Indovina: chi è? Scrivi il nome.

Mi chiamo Katia: ho gli occhi verdi e i capelli lisci e biondi.

Mi chiamo Mario: ho i capelli biondi e le orecchie grandi.

Mi chiamo Rita: ho il naso piccolo e i capelli ricci e biondi.

Mi chiamo Filippo: ho i capelli castani e gli occhi neri.

....

7 Ascolta e ripeti la filastrocca.

I capelli

Ecco i miei capelli
I miei occhi così belli
Queste sono le mie orecchie
Il mio naso e la mia bocca
Ma che bella filastrocca!

Che cosa mi metto?

1 Osserva e colora.

il maglione

la maglietta

il cappello

i pantaloni

il giubbotto

il vestito

la gonna

la camicia

le scarpe

i jeans

le calze

⁹

2 Ascolta e completa con PANTALONI, MAGLIETTA, SCARPE, GIUBBOTTO, CAMICIA, CAPPELLO, JEANS, VESTITO, MAGLIONE, GONNA, CALZE.

TI PIACE QUESTA .... ROSSA?

SÌ, E MI PIACCIONO ANCHE QUESTE .... E QUESTO ....

SONO BELLO CON IL .... ?

QUESTA .... È TROPPO LUNGA!

IO VOGLIO LE .... ROSA!

VA BENE QUESTO .... CON I .... ?

SÌ, MA IL GIUBBOTTO È TROPPO STRETTO!

E ORA? VA BENE QUESTA .... CON I .... BLU?

SÌ, ORA VA BENE!

GUARDATE COME SONO BELLA CON IL .... !

TU SEI BELLIS-SIMA, LISA, MA IL TUO VESTITO È TROPPO GRANDE!

3 **Metti in ordine, scrivi e colora.**

....

| GUTOBTOBI | GNAON | PTANILOAN | VETOSTI |

4 **Leggi e completa con** QUESTO, QUESTA, QUESTI **e** QUESTE**.**

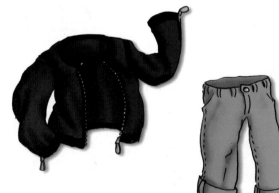    

1. Questi pantaloni sono verdi.

2. .... maglietta è gialla.

3. .... scarpe sono blu.

4. .... giubbotto è nero.

5. .... gonna è corta.

6. .... maglione è rosso.

1 - 3

1 **Ritaglia i cartellini a pagina 131. Ascolta la canzone "I 12 mesi" e incolla.**

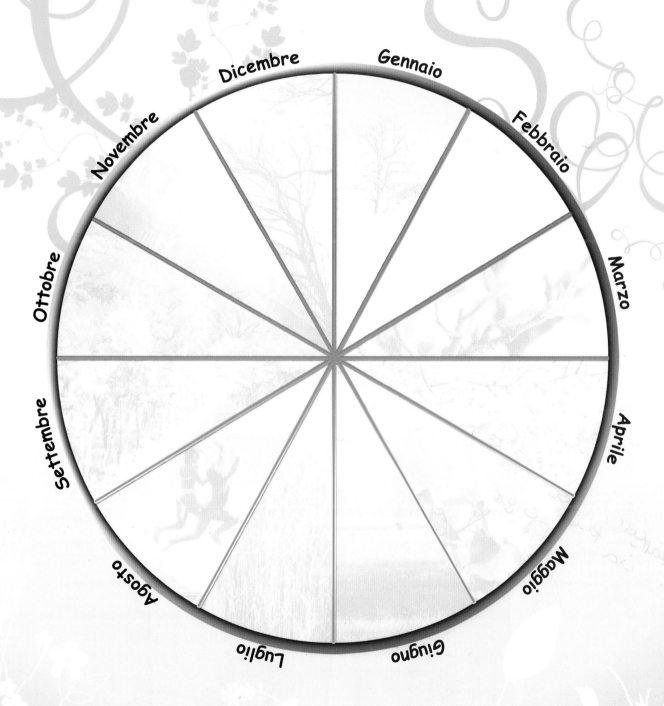

Che cosa mi metto?

 11

2 Ricorda!

> Trenta giorni
> ha novembre con aprile,
> giugno e settembre;
> di ventotto ce n'è uno;
> tutti gli altri ne hanno trentuno.

3 Completa.

G.................

1	11	21	31
2	12	22	
3	13	23	
4	14	24	
5	15	25	
6	16	26	
7	17	27	
8	18	28	
9	19	29	
10	20	30	

Febbraio

1	11	21
2	12	22
3	13	23
4	14	24
5	15	25
6	16	26
7	17	27
8	18	28
9	19	
10	20	

Febbraio ha ..... giorni.

M.................

1	11	21	31
2	12	22	
3	13	23	
4	14	24	
5	15	25	
6	16	26	
7	17	27	
8	18	28	
9	19	29	
10	20	30	

Aprile

1	11	21
2	12	22
3	13	23
4	14	24
5	15	25
6	16	26
7	17	27
8	18	28
9	19	29
10	20	

M.................

1	11	21	31
2	12	22	
3	13	23	
4	14	24	
5	15	25	
6	16	26	
7	17	27	
8	18	28	
9	19	29	
10	20	30	

Giugno

1	11	21
2	12	22
3	13	23
4	14	24
5	15	25
6	16	26
7	17	27
8	18	28
9	19	29
10	20	30

Giugno ha ..... giorni.

L.................

1	11	21
2	12	22
3	13	23
4	14	24
5	15	25
6	16	26
7	17	27
8	18	28
9	19	29
10	20	

A.................

1	11	21
2	12	22
3	13	23
4	14	24
5	15	25
6	16	26
7	17	27
8	18	28
9	19	29
10	20	

Agosto ha ..... giorni.

Settembre

1	11	21
2	12	22
3	13	23
4	14	24
5	15	25
6	16	26
7	17	27
8	18	28
9	19	29
10	20	

O.................

1	11	21
2	12	22
3	13	23
4	14	24
5	15	25
6	16	26
7	17	27
8	18	28
9	19	29
10	20	

Novembre

1	11	21
2	12	22
3	13	23
4	14	24
5	15	25
6	16	26
7	17	27
8	18	28
9	19	29
10	20	

D.................

1	11	21
2	12	22
3	13	23
4	14	24
5	15	25
6	16	26
7	17	27
8	18	28
9	19	29
10	20	

Dicembre ha ..... giorni.

4 Leggi e rispondi: "Quando è il tuo compleanno?".

Il mio compleanno è il 22 settembre.

Il mio è il 29 marzo.

Il mio compleanno è il 6 dicembre.

Quando è il tuo compleanno?

" .... "

I NUMERI 20-31

(20) venti
(21) ventuno
(22) ventidue
(23) ventitré
(24) ventiquattro
(25) venticinque
(26) ventisei
(27) ventisette
(28) ventotto
(29) ventinove
(30) trenta
(31) trentuno

5 Chiedi a quattro compagni: "Quando è il tuo compleanno?".

NOME	COMPLEANNO

12

6 Ascolta e completa.

GITA ALLA FATTORIA .... 28 APRILE

GITA A ROMA .... 1o MAGGIO

4 - 5

Forte!

1 **Leggi, ritaglia le immagini a pagina 133 e incolla al posto giusto.**

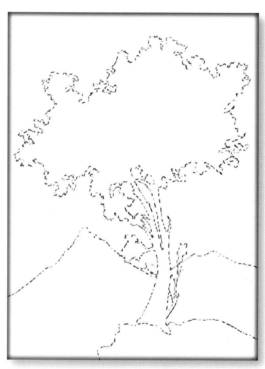

Primavera: marzo,
aprile, maggio

Estate: giugno,
luglio, agosto

Autunno: settembre,
ottobre, novembre

Inverno: dicembre,
gennaio, febbraio

2 Leggi e colora.

VUOI VEDERE LE TUE FOTO, LISA?

SÌ!

GUARDA, QUI SIAMO IN ESTATE E TU HAI UNA MAGLIETTA GIALLA.

QUI È PRIMAVERA: HAI UN BEL VESTITO ROSA!

QUI È AUTUNNO: HAI UN MAGLIONE ROSSO TROPPO GRANDE.

IO E TE IN INVERNO.

CON UN GIUBBOTTO BLU E UN CAPPELLO ARANCIO!

3 Unisci.

| Primavera | Estate | Autunno | Inverno |

4 Completa con GIUBBOTTO, ESTATE, PRIMAVERA, MAGLIONE, JEANS, GONNA, CAPPELLO.

Lisa, in inverno, ha un .... blu e un .... arancio.

Lisa, in .... ha un vestito rosa.

Lisa, in autunno, ha i .... e un .... rosso.

Lisa in .... ha una maglietta gialla e una .... bianca.

5 Osserva.

UNA **MAGLIETTA GIALLA**

UN **GIUBBOTT**O **NER**O

UNO **ZAIN**O **ROSS**O

6 - 7

Edizioni Edilingua

VOCABOLARIO

Ritaglia le figure a pagina 135, incolla e colora.

Lunedì Fang Fang ha i pantaloni rossi e la maglietta blu.

Martedì Fang Fang ha la gonna verde e la camicia bianca.

Mercoledì Paula ha il giubbotto giallo, il cappello nero e i pantaloni neri.

Giovedì Paula ha la camicia arancio e i jeans.

Venerdì Simone ha i jeans e il giubbotto blu.

Sabato Simone ha il maglione rosso e i pantaloni marroni.

Domenica Lisa ha il vestito rosa e il cappello celeste.

Lunedì	Martedì	Mercoledì	Giovedì

Venerdì	Sabato	Domenica

Gita alla fattoria

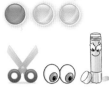

1 Ritaglia le figure a pagina 137. Leggi e incolla al posto giusto.

La mucca

Il cane

Il gatto

Il maiale

Il cavallo

La gallina

 13

2 **Ascolta e completa con:** MUCCA, MUCCHE, CAVALLO, CAVALLI, MAIALI.

CHE BELLA LA FATTORIA!

GUARDA PAULA: LE ....!

VIENI ....! MANGIA!

GUARDA FANG FANG, I ....!

OH, BELLO QUESTO .... NERO!

VENITE A VEDERE I ....!

GUARDATE IL MAIALINO!

Gita alla fattoria

3 Com'è? Collega.

Il topo

è sporco.

è piccolo.

è grande.

è lungo.

Il serpente

L'elefante

Il maiale

4 Gli animali preferiti. Ascolta e metti ✓.

	Il leone	Il cane	Il gatto	Il pesce rosso	L'orso	La tigre	Il cavallo
SIMONE							
FANG FANG							
EDMOND							
HAMID							
PAULA							
LISA							
LUIS							

1 - 2

Edizioni Edilingua

1 Ascolta e completa con GATTO e GALLINE.

Gita alla fattoria

2 Vero o falso? Leggi e metti ✓.

Caro Diario,
Oggi **siamo andati** in gita alla fattoria.
Ho visto le mucche, i cavalli, le galline e i maiali.
Poi **ho sentito** una grande confusione.
Un maialino **è scappato**.
Edmond **ha cercato** di prendere il maialino, ma **è caduto** nel fango!
Povero Edmond! Tutto sporco!
Poco dopo il maialino **ha battuto** la testa contro un albero.
Povero maialino!
Ma io mi sono divertita tanto!
Anne

	V	F
1. Anne è andata in gita alla fattoria.	○	○
2. Anne ha visto gli elefanti.	○	○
3. Un maialino è scappato.	○	○
4. Simone è caduto nel fango.	○	○
5. Edmond ha battuto la testa contro un albero.	○	○

3 Leggi e osserva.

Il maialino **batte** la testa.

Il maialino **ha battuto** la testa.

Edmond **cade**.

Edmond **è caduto**.

Edizioni Edilingua

4 Ascolta e canta: "Gli animali".

La giraffa affa affa
con la zebra e il leone
l'elefante ante ante
stanno nella savana
e fanno confusione

La gallina ina ina
con la mucca e il maiale

il coniglio iglio iglio
sono in fattoria
per crescere e giocare

E il gattino ino ino
con il cane e un pesciolino
stanno insieme a casa mia
e non vanno mai più via!

5 Leggi e osserva.

il cane	la gallina
i cani	le galline

Continua tu!

il gatto	.... gatti
il maiale	.... maiali
il cavallo	.... cavalli
la mucca	.... mucche

3 - 4

Forte!

1 Leggi e colora.

Simone e i suoi compagni sono in gita alla fattoria.

La fattoria è molto grande: c'è una casa, ci sono tanti **alberi** e tanti animali.

La casa è molto bella: ha i **fiori** rosa davanti alle finestre.

Davanti alla porta della casa c'è un cane nero e ci sono tante galline.

Vicino alla casa c'è un **prato** con tanti fiori colorati: gialli, rossi e arancio. Nel prato, vicino a Paula, ci sono due cavalli, uno marrone e uno grigio. Paula ha un **fiore** rosso nei capelli.

Sotto un grande **albero** un gattino gioca con la sua mamma.

Vicino all'albero ci sono anche le mucche.

Edizioni Edilingua

2 Completa con: FIORI, PALLA, PRATO, CANE, PRATO, GATTO e ALBERO.

28 APRILE
ECCO LE FOTO DELLA GITA ALLA FATTORIA

Questo è il .... Buck.
Buck gioca sul ....

E qui c'è il .... sull'.................

Io, Hamid, Paula e Fang Fang
giochiamo a .... sul ....

Ecco i .... davanti alla finestra
della casa. Sono molto belli!

3 Leggi e scrivi il nome della stagione sotto le foto.

File   Modifica   Visualizza   Inserisci   Formato   Strumenti   Messaggio ?

A...
Cc...
Oggetto

Ai bambini della IV B.
Ciao bambini!
Ecco le foto degli alberi della fattoria.
Sono belli, vero?
Guardate con attenzione le foglie   e i fiori   e indovinate:
quando ho fatto queste foto? In primavera, in estate, in autunno o in inverno?
Carissimi saluti.
Giulio Moretti

In ....   In ....   In ....   In ....

17   5 - 6

4 Ascolta e ripeti la filastrocca "Le quattro stagioni".

Quattro sono le stagioni
la primavera con tanti fiori
poi l'estate con il caldo e il sole;

In autunno cadono le foglie
e l'inverno porta la neve.
È così anche nel tuo paese?

VOCABOLARIO

Cerchia e scrivi il nome degli animali.

.... Il pesce ....

....

....

....

....

....

....

....

....

....

....

....

S	M	U	C	C	A	N	E
E	A	G	A	L	P	P	U
R	I	A	V	E	L	E	C
P	A	T	A	O	I	S	T
E	L	T	L	N	N	C	I
N	E	O	L	E	O	E	G
T	O	P	O	R	S	O	R
E	L	E	F	A	N	T	E

Cerchia le lettere rimaste.
Come si chiama? ....

1 Ritaglia e incolla i vestiti alle pagine 137 e 139, poi descrivi Paula e Simone.

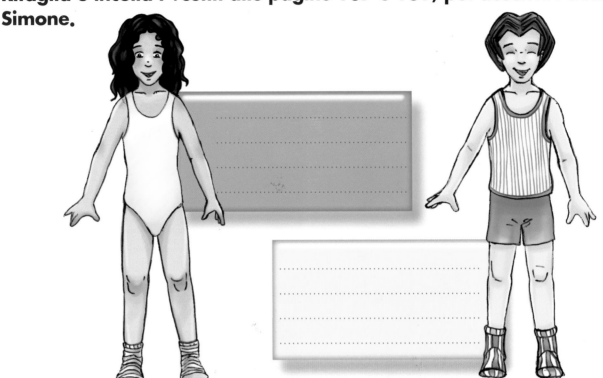

2 Che cosa piace a Simone, che cosa piace a Paula? Metti in ordine.

pantaloni - i - me - a - piacciono - corti.

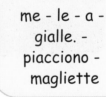

me - le - a - gialle. - piacciono - magliette

....

....

 18

3 Ascolta e canta la canzone "I vestiti".

Mi piace il giubbotto rosso
Mi piace la maglietta blu
Mi piace il cappello azzurro
Dai canta anche tu

Mi piacciono i pantaloni
le calze di tutti i colori
i jeans e il maglione blu
Dai canta anche tu

Edizioni Edilingua

4 E tu? Quale vestito preferisci? Disegna qui e descrivi.

....

....

....

....

5 Indovina chi è.

1. Ha i capelli biondi e lisci; il suo vestito è troppo lungo.

2. Ha i capelli corti e neri; i suoi pantaloni sono troppo larghi.

3. Ha i capelli ricci e castani; la sua maglietta è troppo stretta.

4. Ha i capelli rossi, ricci e lunghi. Il suo cappello è troppo grande.

1. È ....

2. È ....

3. È ....

4. È ....

6 Disegna il tuo paese nella stagione che ti piace di più.

Qual è il tuo mese preferito? Perché?

....

Quale stagione ti piace di più? Perché?

....

Che cosa fai in questa stagione? Vai a scuola?

....

Chiedi a 3 amici/amiche.

	Nome	Nome	Nome
Qual è il tuo mese preferito?			
Quale stagione ti piace di più?			

7 Scambi di iniziale. Indovina: quale animale è?

LAIALE, **M**EONE, **M**ATTO, **G**ANE, **C**UCCA, **C**ALLINA, **G**AVALLO, **E**RSO, **O**LEFANTE, **P**IGRE, **T**ESCE.

....

....

PESCE

....

....

....

....

....

....

....

8 Disegna qui il tuo animale preferito.

Completa.

Mi piace ....

Perché ....

Che cosa mangia? ....

....

Dove vive? ....

....

1 Scrivi al posto giusto: ROMA, FIRENZE, NAPOLI, MILANO, VENEZIA, PALERMO.

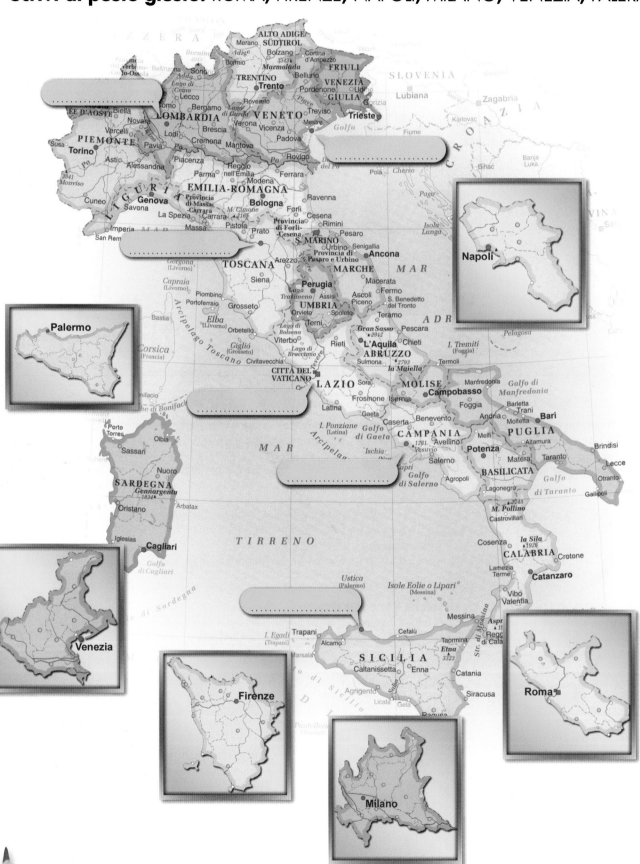

2 Leggi.

3 Cerchia la risposta giusta.

1. Dove abita Fang Fang?

Fang Fang abita in (Italia) Cina Brasile

2. Dove abitano i nonni di Fang Fang?

I nonni di Fang Fang abitano in Italia Marocco Cina

3. Dove abitano i nonni di Simone?

I nonni di Simone abitano a Firenze Milano Venezia

4. Quale è la capitale d'Italia?

La capitale d'Italia è Milano Roma Napoli

4 Leggi e poi completa con: ABITA, ABITO, ABITI, ABITANO, ABITO, ABITO.

Io abito in Italia, ma vengo dalla Cina. I miei nonni abitano in Cina.

Mia zia abita in Brasile. Tu dove abiti?

I miei nonni abitano a Milano.

1. I miei nonni sono italiani, ma .... in Francia.
2. Io vengo dall'Albania, ma .... in Italia.
3. Mio zio .... in Germania.
4. Mi chiamo Laura e .... in Piemonte.
5. Ciao, sono Roberto, ... in Italia e tu dove .... ?

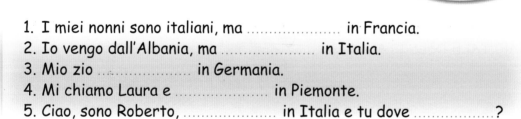

1 - 2

5 Come ti chiami? Dove abiti? Rispondi e scrivi.

Mi chiamo .... e ....

1 Ritaglia e incolla le figure alle pagine 141 e 143, poi scrivi i nomi.

cit-

-tà

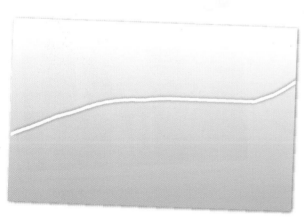

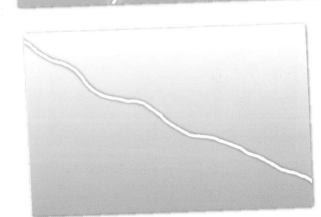

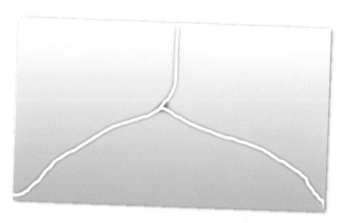

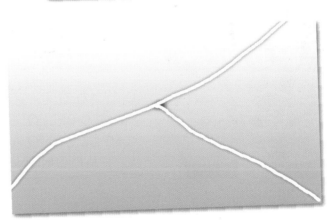

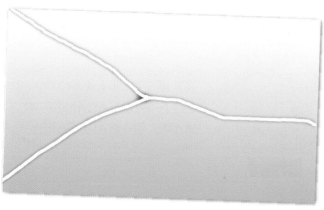

La ....city......
Il ....
La ....
Il ....
Il ....
La ....
La ....

Forte!

2 Leggi.

QUESTA È LA FOTO DI UNA GITA IN MONTAGNA, SULLE **ALPI**! GUARDA COME SONO BELLI QUESTI FIORI. QUI SONO CON MIO FRATELLO, GIOCHIAMO A PALLA SUL PRATO!

16 aprile. In gita con i miei genitori

Primo maggio. Io e mio fratello Ben sul fiume Po

QUI DOVE SEI?

QUI SONO SUL FIUME **PO** CON MIO FRATELLO.

CHE BELLO! È IL **LAGO DI GARDA**!

SÌ, IL LAGO È MOLTO BELLO. GUARDA QUI CI SONO ANCHE I MIEI NONNI.

2 giugno. Anne con i nonni al lago

15 agosto. Anne in vacanza al mare

QUESTA È LA FOTO DELLE MIE VACANZE AL MARE, IN **SARDEGNA**.

Edizioni Edilingua

3 Rispondi, poi cerca i nomi sulla cartina.

Dove è andata Anne?

Anne è andata...

in gita in montagna sulle ....(1),

sul fiume ....(2) con il fratello Ben,

sul lago di ....(3) con i nonni,

al mare in ....(4).

3

Forte!

1 Collega la cartolina alla città.

Trentino
Alto Adige
Trento

Valle
d'Aosta
Aosta

Lombardia
Milano

Friuli
Venezia Giulia

Veneto
Venezia

Trieste

Canal Grande,
Venezia

Torino
Piemonte

Emilia-Romagna
Bologna

Genova
Liguria

Firenze
Toscana

Ancona

Perugia
Umbria

Marche

Abruzzo
L'Aquila

Colosseo, Roma

Duomo, Milano

Lazio
Roma

Molise
Campobasso

Maschio Angioino, Napoli

Napoli
Campania

Bari

Potenza
Puglia

Basilicata

Sardegna

Calabria

Cagliari

Catanzaro

Duomo, Firenze

Palermo

Sicilia

Edizioni Edilingua

2 Dove abitano? Ascolta e completa.

Ciao, mi chiamo Francesco, ho otto anni. Io abito a .... Mi piace la mia città, è molto bella, c'è il mare e c'è il Vesuvio. Domenica sono andato con il mio papà sul Vesuvio: forte!

Ciao, mi chiamo Lorenzo, ho otto anni, abito a .... La mia città è bella, ma a me non piace abitare in città: mi piacciono gli animali, i prati e le montagne. La domenica vado con i miei genitori in Piazza Duomo: bella, vero?

Ciao bambini della terza! Mi chiamo Anna e abito a .... Mi piace la mia città, è molto bella. Domenica sono andata al Colosseo con i miei nonni: bellissimo!

Ciao mi chiamo Cecilia, abito a .... Mi piace la mia città, ma preferisco abitare in campagna. Mi piace andare in Piazza San Marco con il mio papà.

Ciao, io sono Giulio. Questa è la mia sorellina Silvia: abitiamo a .... La domenica andiamo con la mia mamma in Piazza della Signoria: alla mia mamma piace tanto!

Forte!

Conosciamo l'Italia

3 **Completa con:** SONO ANDATO, SONO ANDATA, SIAMO ANDATI. **Unisci alla sua città.**

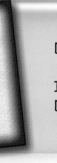

a

Dove sei andato domenica, Francesco?

Io .... sul Vesuvio con il mio papà.

b

Dove sei andato domenica, Lorenzo?

Io .... in Piazza Duomo con i miei genitori.

c

Dove sei andata domenica, Anna?

Io .... al Colosseo con i miei nonni.

d

Dove sei andata domenica, Cecilia?

Io .... in Piazza San Marco con il mio papà.

Dove siete andati domenica, Giulio e Silvia?

Noi .... in Piazza della Signoria con la nostra mamma.

e

Edizioni Edilingua

4 Dove sei andato domenica, Simone?

SONO STATO A CASA.

5 Racconta la tua ultima gita. Dove sei andato/a?

....

....

....

 20

6 Ascolta e canta: "Dove andiamo?".

Dove andiamo? Dove andiamo?
Dove andiamo?
Chi lo sa?!
Forse al lago, forse al mare o
restiamo in città.

Dai andiamo tutti al lago
per vedere l'acqua azzurra.
Io voglio andare in montagna
per toccare la neve bianca.

Dove andiamo? Dove andiamo?
Dove andiamo?

Chi lo sa?!
Forse al lago, forse al mare o
restiamo in città.
Per distendermi sul prato
in campagna voglio andare.
Per giocare con la sabbia
io voglio andare al mare.

Dove andiamo? Dove andiamo?
Dove andiamo?
Chi lo sa?!
Andiamo in gita a Roma
ma che bella la città!

4 - 6

VOCABOLARIO

Completa il cruciverba con i luoghi delle fotografie.

1 Leggi e colora.

2 Cerca Roma nella cartina.

3 **Leggi, ascolta e canta la canzone "Tutti in gita!".**

4 **Leggi e colora.**

Edizioni Edilingua

5 Osserva.

Quest'anno andiamo in gita a Roma.

L'anno scorso siamo andati in gita a Milano.

6 Metti in ordine.

scuola • a • andate • Voi

1. ....

Firenze • Noi • a • andati • siamo

2. ....

vado • Io • piazza • in

3. ....

in • Quest' • campagna • andiamo • anno

4. ....

L' • scorso • andati • lago • anno • siamo • al

5. ....

1

1 Ritaglia le immagini a pagina 143 e incolla al posto giusto.

COLOSSEO

FORI IMPERIALI

SALUTI DA ROMA!

BASILICA DI SAN PIETRO

FONTANA DI TREVI

2 Leggi e colora.

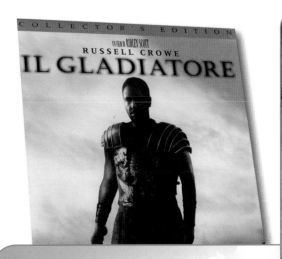

Forte!

3 Osserva e rispondi alle domande.

Questa è una scuola nella Roma antica.

1. Le pergamene

2. Le tavolette hanno uno strato di cera dove scrivere.

3. Prima di tutto i bambini imparano l'alfabeto.

Ci sono i quaderni? ....

Ci sono la lavagna e la cattedra? ....

I bambini scrivono con le penne? ....

4 Osserva e descrivi: come sono vestiti?

Questo è un soldato dell'antica Roma.

elmo

spada

mantello

Questa è una donna dell'antica Roma.

orecchini

collana

bracciale

2 - 3

Edizioni Edilingua

1 Leggi.

2 Ascolta la filastrocca: "Ciao Roma".

Cara Roma ce ne andiamo
ti dobbiamo salutare!
Tu sei proprio tanto grande
e vogliamo raccontare
le cose importanti, grandi e antiche
che ci hai fatto ammirare:
il Colosseo, la Fontana di Trevi,
i Fori Imperiali, Piazza San Pietro!
Roma, tu sei tanto bella
noi vogliamo tornare indietro!!!

Forte!

3 Leggi e metti ✓.

Caro diario,
oggi siamo andati in gita a Roma.
Io e i miei compagni di scuola abbiamo visto tante cose
belle: il Colosseo, i Fori Imperiali, Piazza San Pietro e una
grande fontana, la Fontana di Trevi.
Ci siamo divertiti tanto: abbiamo cantato, abbiamo
fatto il gioco degli indovinelli.
La maestra ha raccontato della scuola e dei gladiatori
dell'antica Roma.
Che bello!
Ciao, a domani!

---

1. Simone è andato a Roma

   a. con la mamma ☐
   b. con il papà ☐
   c. con i compagni di scuola ☐

---

2. Simone ha visto

   a. Piazza San Pietro ☐
   b. Piazza San Marco ☐
   c. Piazza della Signoria ☐

---

3. Simone ha giocato

   a. a ruba bandiera ☐
   b. a palla ☐
   c. agli indovinelli ☐

---

4. La maestra ha raccontato

   a. della gita ☐
   b. dei gladiatori ☐
   c. della fattoria ☐

---

4 Osserva.

RACCONTARE		CADERE		SENTIRE	
Ora	Prima/Ieri	Ora	Prima/Ieri	Ora	Prima/Ieri
La maestra racconta.	La maestra ha raccontato.	Edmond cade.	Edmond è caduto.	Paula sente.	Paula ha sentito.

Edizioni Edilingua

5 Unisci.

1. La maestra racconta.
2. Noi vediamo il Colosseo.
3. Tu giochi.
4. Noi andiamo.
5. Io leggo.
6. Io mi diverto.
7. Tu scrivi.

a. Noi abbiamo visto il Colosseo.
b. La maestra ha raccontato.
c. Io mi sono divertito.
d. Io ho letto.
e. Tu hai scritto.
f. Noi siamo andati.
g. Tu hai giocato.

6 Osserva e completa.

PAULA	HAMID	SIMONE E EDMOND	PAULA E FANG FANG
Io mi sono divertita.	Io mi sono divertito.	Noi ci siamo divertiti.	Noi ci siamo divertite.
Io sono andat…..	Io sono andat…..	Noi siamo andat…..	Noi siamo andat…..

4 - 5

VOCABOLARIO

Aiuta Simone a pescare le parole giuste per rispondere alle seguenti domande.

1. Dove sono andati Simone e i suoi amici? ....

2. Che cosa hanno visto? ....

3. Ci sono ancora i gladiatori? ....

No, non

la Basilica

di Trevi

ci sono più

di San Pietro

il Colosseo

Simone

sono andati

a Roma

e i Fori Imperiali

Hanno visto

la Fontana

e i suoi amici

1 **Ritaglia e incolla le immagini alle pagine 145 e 147, poi scrivi la cartolina.**

2 **Osserva e descrivi: come sono vestiti?**

3 **Ascolta la canzone "Un due tre" e canta. Completa con le parole mancanti.**

Batti le mani insieme a me
conta conta un due tre

..............., cinque, ..., sette
pane e cioccolata
voglio due fette

Batti le mani insieme a me
conta conta un due tre

..............., nove, ... e poi
contate tutti insieme a noi

Edizioni Edilingua

4 Leggi e completa.

 Facciamo il gioco delle parole?

 Sììì!!!

 Comincia per L e finisce per E. È un animale, che cosa è?

 Io, io lo so... è il _ _ _ _ _ _ .

 Ora tocca a me! Comincia per P e finisce per A. Si mangia, che cos'è?

 È facile! È la _ _ _ _ _ .

 Comincia per B e finisce per O. Si trova a scuola, è il...

 Il _ _ _ _ _ _ .

 Inizia per A e finisce per A. Si mangia.

 È l'_ _ _ _ _ _ _ _ .

 Continua tu con i tuoi compagni!

5 Il gioco dei contrari. Ritaglia i cartellini alle pagine 149 e 151 e gioca con i compagni.

1 Scrivi al posto giusto: CANE, ORSETTO, BAMBOLA, GATTO, PALLONCINI, PALLA, CORDA, FIGURINE.

2 Leggi con attenzione.

È la festa di fine anno!!!

Tutto è pronto per la festa!
Sopra il tavolo piccolo ci sono tante pizze e tanti panini. I biscotti e la torta sono sul tavolo grande. I succhi di frutta e l'acqua sono vicino alla torta.
Vicino alla finestra la maestra ha messo palloncini rossi, verdi e gialli.
Sotto il tavolo ci sono tante piccole scatole... una sorpresa?
Ecco Simone: ha i pantaloni rossi e la maglietta blu. Saluta Edmond:
- Ciao Edmond! Bella la tua maglietta gialla!
- Ciao Simone!
Paula saluta Fang Fang e Hamid:
- Ciao Fang Fang! Come sei bella con il tuo vestito bianco a fiori rosa!
- Grazie Paula, la mamma mi ha comprato questo vestito per la festa!
Hamid chiede:
- Oggi vengono i vostri genitori?
- Sì - risponde Paula - vengono anche i miei fratellini!
- Che bella festa! - esclama Hamid.

Cosa c'è che non va nel disegno? Scopri le differenze con il testo.

3 Indovina chi è. Scrivi il numero al posto giusto.

ARRIVANO I GENITORI!

1 - 2

Il mio papà è alto, ha i capelli castani e lisci. Ha i pantaloni neri e una camicia celeste.

Il papà di Anna è il signore numero ....

Il mio papà ha i capelli castani e ricci. Ha i jeans e un maglione verde.

Il papà di Antonio è il signore numero ....

La mia mamma ha i capelli castani e ricci. Ha la gonna nera e un cappotto viola.

La mamma di Massimo è la signora numero ....

La mia mamma ha i capelli biondi, lunghi e lisci. Ha i pantaloni verdi e una maglietta viola.

La mamma di Silvia è la signora numero ....

Forte!

1 **Ascolta e completa con:** GIOCHIAMO, CAPELLI, CONTA, NASO, TOCCA.

2 Canzomimando. Ascolta, canta e mima: "Batti le mani insieme a me".

Alza le braccia insieme a me
Alza le braccia ora tocca a te

CLAP!
CLAP!

Batti le mani insieme a me
Batti le mani ora tocca a te

Salta salta hop hop
Salta salta hop hop

Tocca la testa con le mani
Tocca la testa con le mani

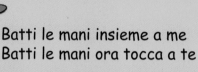

Salta salta hop hop
Salta salta hop hop

Tocca la pancia con le mani
Tocca la pancia con le mani

Fai un giro hop hop
Fai un giro hop hop

Piega le gambe insieme a me
Piega le gambe ora tocca a te

E ora

Salta salta hop hop
Salta salta hop hop

3 - 4

Edizioni Edilingua

1 Leggi e completa.

DOVE ANDATE DOMENICA?

DOMENICA ANDIAMO AL ....

CHE BELLO! NOI ANDIAMO IN VACANZA IN ....

NOI INVECE ANDIAMO AL .... INSIEME AI NONNI.

NOI L'ANNO SCORSO SIAMO ANDATI A VENEZIA.

È UNA BELLA CITTÀ COME ROMA.

SÌ, È VERO! CHE BELLA GITA!

2 Leggi e metti ✓.

VIVA LE VACANZE!

Caro nonno Jerome,

finalmente sono iniziate le vacanze scolastiche!
Qui in Italia i bambini vanno in vacanza a giugno e tornano a scuola a settembre. Poi ci sono le vacanze di Natale e una settimana a Pasqua.
Ad esempio quest'anno la scuola è iniziata il 15 settembre ed è finita il 10 giugno.
Abbiamo fatto le vacanze di Natale dal 22 dicembre al 6 gennaio e le vacanze di Pasqua dal 3 al 9 aprile. A luglio voglio venire in Inghilterra. Voglio stare con te e con la nonna!
Ciao dalla vostra

Anne

La scuola in Italia inizia

| a settembre ☐ | a giugno ☐ | a luglio ☐ |

La scuola in Italia finisce

| a settembre ☐ | a giugno ☐ | a luglio ☐ |

3 Scrivi quando sono le tue vacanze scolastiche.

5

....

....

....

....

Forte!

VOCABOLARIO

Ecco la tua festa! Ritaglia e incolla le figure a pagina 153.

PALLONCINI

PIZZA

PANINI

TORTA

BISCOTTI

FIORI

MELE

Esercitiamoci!

1 Metti in ordine.

1. chiami? • ti • come • Ciao

....

2. Anne • mi • Io • chiamo

....

3. Ben • fratello • mio • è • Lui

....

2 Unisci.

1. Questa penna è tua?	a) No, non è mio.
2. Questo quaderno è tuo?	b) Sì, è mia.
3. Questo libro è di Simone?	c) No, non è sua.
4. Questa bambola è di Lisa?	d) Sì, è suo.

3 Completa con GIOCO, GIOCHI, GIOCHIAMO, GIOCATE.

1. Ciao Anne, ... con me a palla?

2. No, grazie. .... con la corda.

3. Simone e Hamid, a che cosa ....?

4. Noi .... con le macchinine.

Forte!

4 Caccia all'errore! Metti ✔ o ✗ e scrivi in maniera corretta.

CATEDRA ✗ = cattedra

1. **14** QUATTORDICI ☐ = ...

2. VERDE ☐ = ...

3. BRU ☐ = ...

4. PIZA ☐ = ...

5. PALLA ☐ = ...

6. BANBOLA ☐ = ...

7. ORSETO ☐ = ...

8. GIALO ☐ = ...

9. GATO ☐ = ...

5 Completa con SIAMO, SEI, SIETE, SONO, È, SONO.

1. Io .... un bambino.

2. Tu .... una bambina.

3. Questa penna .... rossa.

4. Noi .... in montagna.

5. Voi .... al mare.

6. I pennarelli .... dentro l'astuccio.

1 Metti in ordine.

| BAMBOLA | CAPELLI | LA | I | HA | NERI |

1. *La bambola ha i capelli neri.* ....

| OCCHI | GLI | HA | NERI | BAMBOLA | LA |

2. ....

| PICCOLA | BAMBOLA | LA | HA | BOCCA | LA |

3. ....

| HA | UN | BAMBOLA | PIEDE | LA | ROTTO |

4. ....

2 Leggi e poi metti ✔ o ✗.

I MIEI AMICI

Il mio amico Hamid ha i capelli neri e ricci e gli occhi neri.
Il mio amico Edmond ha i capelli corti, biondi e gli occhi marroni.
La mia amica Paula ha i capelli neri, ricci e lunghi e gli occhi neri.

a) Hamid ha i capelli lisci. ☐

b) Hamid ha gli occhi neri. ☐

c) Edmond ha i capelli corti. ☐

d) Edmond ha gli occhi verdi. ☐

e) Paula ha i capelli ricci. ☐

f) Paula ha i capelli corti. ☐

3 Scrivi. Come sono i tuoi amici / le tue amiche?

.... ha i capelli .... e .... e gli occhi ....

(NOME)

.... ha i capelli .... e .... e gli occhi ....

(NOME)

.... ha i capelli .... e .... e gli occhi ....

(NOME)

4 Parlo di me.

- Come ti chiami?
- Io mi chiamo ....
- Quanti anni hai?
- Io ho ....
- Dove abiti?
- Io abito in ....
- Che classe fai?
- Io faccio ....
- Hai fratelli o sorelle?
- ....
- Come sei?
- Io ho i capelli .... e ....
  e gli occhi ....

5 Disegna la tua amica o il tuo amico e poi scrivi.

Il mio amico / La mia amica si chiama

....

Ha ....anni.

Abita in ....

Ha i capelli .... e ....

e gli occhi ....

6 Completa con: HAI, HO, HANNO, HA, AVETE, ABBIAMO.

1. Io .... i capelli neri.

2. Tu .... gli occhi neri.

3. Fang Fang .... i capelli lisci.

4. Io e Anne .... gli occhi neri.

5. Tu e Pablo .... i capelli corti.

6. Edmond e Mark .... i capelli biondi.

1 Metti in ordine e scrivi.

FA   COMPITI   I   SIMONE

1. ....

ITALIANO   COMPITI   DI   FA   I   PAULA

2. ....

PIACE   MI   FARE   DI   MATEMATICA   I   COMPITI

3. ....

FACCIO   IO   COMPITI   I   SCIENZE   DI

4. ....

2 Quando? Leggi e rispondi.

Lunedì	Martedì	Mercoledì	Giovedì	Venerdì
Italiano	Storia	Italiano	Matematica	Italiano
Matematica	Geografia	Scienze	Musica	Inglese
Informatica	Arte	Religione	Italiano	Attività motoria

1. Simone, quando fai Italiano?
   Lunedì, mercoledì...

2. Quando fai Scienze?
   ....

3. Quando fai Matematica?
   ....

4. E tu? Quando fai Italiano?
   ....

3 Metti in ordine i giorni della settimana.

venerdì

domenica

giovedì

mercoledì

martedì

sabato

lunedì

1. ....
2. ....
3. ....
4. ....
5. ....
6. ....
7. ....

4 Unisci.

1. Quando andiamo al parco?

2. Quando facciamo merenda?

3. Quando tocca a me?

4. Quando fai i compiti?

a) Prima tocca a Luis e dopo tocca a te.

b) Ora, Lisa, andiamo al parco.

c) Ora faccio i compiti.

d) Dopo, al parco, facciamo merenda.

5 Leggi e completa con: DEVO, POSSO, VOGLIO.

● Simone, devi finire i compiti?
○ Sì, devo finire i compiti di matematica.

1. ● Edmond, vuoi andare a casa?
○ Sì, ... andare a casa.

2. ● Fang Fang, puoi venire a casa mia?
○ Sì, ... venire a casa tua.

3. ● Hamid, devi andare a scuola?
○ Sì, ... andare a scuola.

Forte!

6 Che ore sono? Leggi e disegna le lancette.

Sono le tre.

1. Sono le cinque.

2. Sono le sette.

3. Sono le quattro.

4. Sono le dieci.

5. Sono le nove.

7 Completa in maniera corretta.

mangio / mangia	Io mangio la pizza.

1. disegna / disegni	Simone .... sul foglio.
2. corre / corrono	Diego e Paolo ....
3. dormi / dorme	Tu .... in camera.
4. saltano / saltate	Anna e Paula .... con la corda.
5. leggete / leggiamo	Noi .... il libro.

1 Metti in ordine.

| LUNGHI | I | SONO | PANTALONI |

.... I pantaloni sono lunghi. ....

1. | LA | È | MAGLIETTA | CORTA |

....

2. | SCARPE | STRETTE | LE | SONO |

....

3. | IL | È | LARGO | GIUBBOTTO |

....

4. | LUNGA | GONNA | È | LA |

....

5. | IL | CORTO | MAGLIONE | È |

....

2 Leggi e disegna. Come è vestito oggi Edmond?

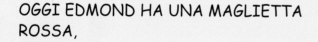

OGGI EDMOND HA UNA MAGLIETTA ROSSA,

UN GIUBBOTTO NERO, I JEANS BLU

E UN CAPPELLO GIALLO.

LE SUE SCARPE SONO MARRONI.

 Esercitiamoci!

3 Come sei vestito oggi? Disegna e scrivi.

Io ho ....

....

....

....

4 Metti in ordine i mesi dell'anno.

Luglio

Aprile

Dicembre

Ottobre

Settembre

1. ....Gennaio..........   7. ....

2. ....   8. ....

3. ....   9. ....

Novembre   Febbraio

4. ....   10. ....

5. ....   11. ....

6. ....   12. ....

Marzo

Agosto

Gennaio

Maggio

Giugno

5 Quando è il tuo compleanno?

Il mio compleanno è il 12 dimerbec. = dicembre

1. Il mio compleanno è il 3 ionnage. = ...

2. Il mio compleanno è il 24 rozam. = ...

3. Il mio compleanno è il 30 lougil. = ...

4. Il mio compleanno è il 20 etermbest. = ...

5. Il mio compleanno è il 16 inuggo. = ...

6 Le stagioni in Italia. Metti al posto giusto:
ESTATE, AUTUNNO, INVERNO, PRIMAVERA.

1. dicembre, gennaio, febbraio: ....

2. marzo, aprile, maggio: ....

3. giugno, luglio, agosto: ....

4. settembre, ottobre, novembre: ....

7 Completa con: UN, UNO, UNA.

1. .... camicia gialla

2. .... maglietta lunga

3. .... cappello nero

4. .... giubbotto largo

5. .... scarpa piccola

6. .... gonna rossa

7. .... zaino grande

8. .... vestito lungo

Forte!

Esercitiamoci!

1 Scrivi il nome degli animali.

2 Leggi e metti ✔ o ✗.

Antonio ha un cane e un cavallo. Il suo cane si chiama Semola e il suo cavallo Black.
Semola è piccolo, marrone e bianco. Black è grande e nero.
Lara ha un gatto. Il suo gatto si chiama Briciola. Briciola è piccolo, bianco e con le orecchie nere.

1. Semola è un cane. ✔
2. Semola è grande. ☐
3. Semola è bianco e marrone. ☐
4. Black è un gatto. ☐

5. Black è piccolo e nero. ☐
6. Briciola è bianco e marrone. ☐
7. Briciola è piccolo. ☐
8. Briciola è il gatto di Lara. ☐

3 Unisci.

1. Oggi andiamo alla fattoria.

2. Anne vede le mucche.

3. Edmond cade.

4. Un maialino scappa.

5. Il maialino batte la testa.

a) Il maialino ha battuto la testa.

b) Un maialino è scappato.

c) Anne ha visto le mucche.

d) Ieri siamo andati alla fattoria.

e) Edmond è caduto.

4 Metti: IL, LA, I, LE.

| la mucca | le mucche | il gatto | i gatti |

1. ____ cavallo   2. ____ cavalli

3. ____ penna   4. ____ penne

5. ____ tartaruga   6. ____ tartarughe

7. ____ banco   8. ____ banchi

9. ____ divano   10. ____ divani

11. ____ gallina   12. ____ galline

13. ____ pappagallo   14. ____ pappagalli

15. ____ bambola   16. ____ bambole

17. ____ cestino   18. ____ cestini

19. ____ letto   20. ____ letti

5 Descrivi. Che cosa c'è davanti al cancello? Che cosa c'è sotto l'albero? Che cosa c'è sull'albero? Che cosa c'è vicino a Edmond?

Ora scrivi.

Davanti al cancello

....

....

Sotto l'albero

....

....

Sull'albero

....

....

Vicino a Edmond

....

....

6 Leggi e unisci.

1. Mi piacciono i fiori rosa!

2. I miei fiori preferiti sono rossi.

3. Mi piacciono le foglie gialle e rosse.

4. Mi piacciono le foglie piccole e verdi.

a

b

c

d

Edizioni Edilingua

1 Leggi e rispondi.

Josè abita in Brasile. Anche i nonni di Josè abitano in Brasile.
Antonio abita in Argentina. I nonni di Antonio abitano in Italia, a Roma. I nonni di Simone abitano in Italia, a Milano.

1. Dove abita Josè? ....

....

2. Dove abita Antonio? ....

....

3. Dove abitano i nonni di Antonio? ....

....

4. Dove abitano i nonni di Simone? ....

....

2 Completa in maniera corretta.

abito/abita

1. abito/abiti

2. abito/abita

3. abitiamo/abitano

4. abitiamo/abitate

5. abitano/abitate

Io abito a Firenze.

1. Tu, dove ....?

2. Blanca .... in Spagna.

3. Noi .... in Brasile.

4. Voi .... in Germania.

5. I nonni .... in Francia.

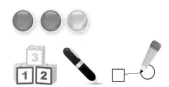

3 Metti in ordine e unisci.

1. rame = mare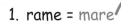

2. gotannam = ...

3. nupiara = ...

4. tictà = ...

5. miufe = ...

6. galo = ...

7. nallico = ...

4 Cerca le città italiane.

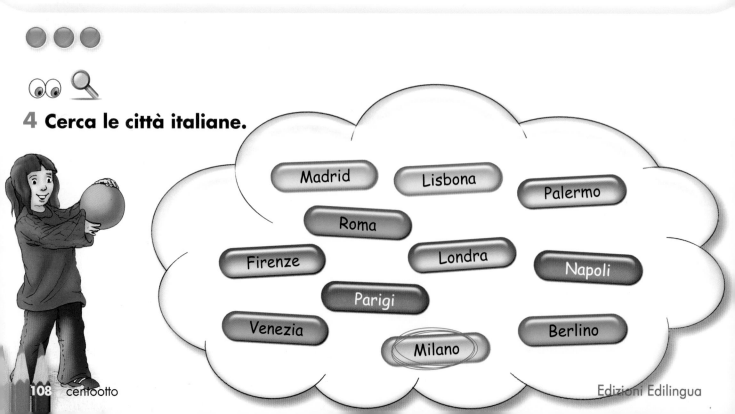

Madrid   Lisbona   Palermo

Roma

Firenze   Londra   Napoli

Parigi

Venezia   Berlino

Milano

5 Metti in ordine.

GIARDINI SONO IO AI ANDATO

Io sono andato ai giardini.

1. MARE ANDATO SIMONE AL È

....

2. ANDATA FANG FANG È MONTAGNA IN

....

3. NOI MILANO ANDATI A SIAMO

....

4. CAMPAGNA ANNE ANDATA È IN

....

6 Rispondi: tu dove sei andato domenica? Unisci e completa con SONO ANDATO/SONO ANDATA o con SONO STATO/SONO STATA.

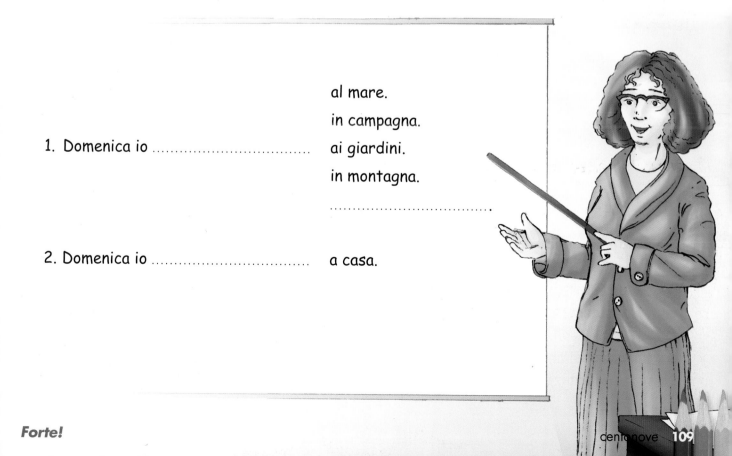

al mare.

in campagna.

1. Domenica io .... ai giardini.

in montagna.

....

2. Domenica io .... a casa.

1 Metti al posto giusto.

vado / sono andato

> Quest'anno vado al mare.
> L'anno scorso sono andato in montagna.

sei andato / vai

1. Quest'anno .... a Milano.
2. L'anno scorso .... a Firenze.

è andata / va

3. L'anno scorso Paula ....
   in montagna.
4. Quest'anno Paula .... al mare.

siamo andati / andiamo

5. Quest'anno .... a Venezia.
6. L'anno scorso .... a Roma.

andate / siete andati

7. Quest'anno voi .... a Roma.
8. L'anno scorso voi .... a Venezia.

sono andati / vanno

9. L'anno scorso Simone e Lisa ....
   a Napoli.
10. Quest'anno Simone e Lisa ....
    a Firenze.

Edizioni Edilingua

2 Unisci.

1. una maestra

2. una bambina a scuola

3. un gladiatore

4. un soldato romano

5. una donna romana

a

b

c

e

d

3 Metti: IL, I, GLI, LA, LE, L'.

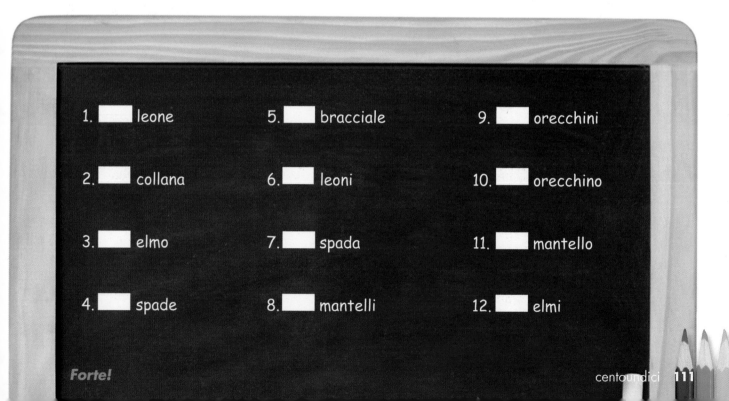

1. ___ leone

2. ___ collana

3. ___ elmo

4. ___ spade

5. ___ bracciale

6. ___ leoni

7. ___ spada

8. ___ mantelli

9. ___ orecchini

10. ___ orecchino

11. ___ mantello

12. ___ elmi

4 Unisci.

Antonio disegna. → Antonio ha disegnato.

1. Tu cancelli.

2. Io mangio.

3. Voi scrivete.

4. Noi andiamo.

5. Simone gioca.

6. Hamid dorme.

a) Hamid ha dormito.

b) Simone ha giocato.

c) Io ho mangiato.

d) Noi siamo andati.

e) Voi avete scritto.

f) Tu hai cancellato.

5 Scrivi al posto giusto: ANDATA, ANDATO, ANDATI, ANDATE; STATO, STATA, STATI, STATE; CADUTO, CADUTA, CADUTI, CADUTE.

Paula	Hamid	Simone e Edmond	Paula e Fang Fang
Io mi sono divertita.	Io mi sono divertito.	Noi ci siamo divertiti.	Noi ci siamo divertite.
Io sono	Io sono	Noi siamo	Noi siamo ....
Io sono	Io sono	Noi siamo	Noi siamo ....
Io sono	Io sono	Noi siamo	Noi siamo ....

Edizioni Edilingua

1 Leggi e rispondi alle domande.

È la festa di fine anno.
Sopra il tavolo grande ci sono le pizze, i panini e la torta.
Sopra il tavolo piccolo ci sono l'acqua e i succhi di frutta.
Vicino alla finestra ci sono palloncini rossi, verdi e gialli.

1. Che cosa c'è sopra il tavolo grande? ....

....

2. Che cosa c'è sopra il tavolo piccolo? ....

....

3. Che cosa c'è vicino alla finestra? ....

....

2 Unisci.

1. Il mio animale preferito è il gatto.

2. Il mio animale preferito è il cane.

3. Il mio animale preferito è il coniglio.

4. Il mio animale preferito è il pesce rosso.

5. Il mio animale preferito è il pappagallo.

3 Osserva e completa.

1. Albert ha gli occhi .... e i capelli ....
   Il suo naso è lungo e le sue orecchie sono piccole.

2. Philip ha gli occhi .... e i
   capelli................, corti e ricci.

3. Anna ha gli occhi .... e i capelli .... lunghi e lisci.
   Il suo naso è piccolo.

4 Caccia all'errore! Metti ✔ o ✗.

1. Batti le mani

2. Tocca la pancia

3. Fai un salto

4. Tocca la testa

5. Tocca i piedi

6. Piega le gambe

Edizioni Edilingua

5 Leggi e rispondi.

Ciao, mi chiamo Filippo. Abito a Milano. Ho un fratello e una sorella. Ho 9 anni. Il mio compleanno è il 15 luglio. Mi piace giocare a palla, non mi piace fare i compiti. Il mio animale preferito è la tigre.

Ciao mi chiamo Chiara, ho 10 anni e abito a Firenze. Ho due fratelli, Luca e Matteo. Il mio compleanno è il 20 giugno. A me piace giocare con la corda, disegnare e mi piace fare matematica. Il mio animale preferito è il gatto.

1. Dove abita Filippo?

....

2. Dove abita Chiara?

....

3. Quanti anni ha Filippo?

....

4. Quanti anni ha Chiara?

....

5. Quando è il compleanno di Filippo?

....

6. Quando è il compleanno di Chiara?

....

7. Qual è l'animale preferito di Filippo?

....

L'angolo della grammatica

Per chiedere... per rispondere

Come ti chiami?	Mi chiamo...
Quanti anni hai?	Ho... anni.
Da dove vieni?	Vengo da...
Chi è?	È...
Che cosa è?	È un/una...
Dov'è?	È sopra... / È sotto... / È dentro...
C'è Lisa?	Sì, c'è. / No, non c'è.
Che cosa c'è?	C'è... / Ci sono...
Quanti sono?	Sono...
Hai capito?	Sì, ho capito. / No, non ho capito.
È tua/tuo?	Sì, è mio/mia. / No, non è mio/mia.
Mi dai per favore... ?	Sì. / No.
Posso giocare?	Sì. / No, non puoi giocare.
Vuoi giocare?	Sì/No, grazie.
A chi tocca?	Tocca a me. / Tocca a te / Tocca a...
Ti piace/piacciono... ?	Sì, mi piace/piacciono. / No, non mi piace/piacciono.
Vuoi ancora... ?	Sì, ancora, grazie. / No, basta, grazie.
Com'è... ?	È... (buono ... rotto ... nuovo ... bello)
Posso andare in bagno?	Sì. / No, ora no.

Sono... sei... o... è?

(Indicativo presente del verbo *essere*)

Io sono Hamid.
Tu sei Simone.
Lui è un bambino.
Lei è una bambina.
Noi siamo bambini.
Voi siete bambini.
Loro sono bambini.

Io sono Hamid.

Noi siamo bambini.

Ho... hai... o... ha?

(Indicativo presente del verbo *avere*)

Io ho le matite.
Tu hai la gomma.
Lui/Lei ha l'astuccio.
Noi abbiamo le matite.
Voi avete lo zaino.
Loro hanno il quaderno.

L'angolo della grammatica

La matita rossa... il libro rosso

(La concordanza articolo-nome-aggettivo)

La matita rossa   Il libro rosso
La penna rotta   Il quaderno rotto
La torta è buona   Lo zaino è nuovo
La tavola è nuova   L'astuccio è rotto

Colorare... scrivere... o... aprire?

(Indicativo presente dei verbi regolari delle tre coniugazioni)

Noi coloriamo

Io gioco

Colorare	Scrivere	Aprire
Io coloro	Io scrivo	Io apro
Tu colori	Tu scrivi	Tu apri
Lui/Lei colora	Lui/Lei scrive	Lui/Lei apre
Noi coloriamo	Noi scriviamo	Noi apriamo
Voi colorate	Voi scrivete	Voi aprite
Loro colorano	Loro scrivono	Loro aprono

 Edizioni Edilingua

Io faccio... tu fai

(Indicativo presente del verbo *fare*)

Io faccio i compiti.
Tu fai merenda.
Lui/Lei fa colazione.
Noi facciamo un disegno.
Voi fate una torta.
Loro fanno un gioco.

 Per chiedere

Che cosa fai?
Che cosa fate?

Per dare un ordine

Simone, fai i compiti, per favore!
Vieni Lisa, facciamo merenda!
Fate silenzio, per favore!

Devo... voglio... posso

(Verbi modali: *Dovere / Volere / Potere* + infinito)

Io devo finire i compiti.
Tu devi andare a casa.
Lui/Lei deve fare italiano.
Noi dobbiamo scrivere.
Voi dovete andare a scuola.
Loro devono fare un disegno.

Io voglio finire i compiti.
Tu vuoi andare a casa?
Lui/Lei vuole leggere un libro.
Noi vogliamo fare colazione.
Voi volete andare a scuola?
Loro vogliono fare un disegno.

Io posso fare colazione.
Tu puoi venire a casa mia.
Lui/Lei può vedere la tv.
Noi possiamo fare un disegno.
Voi potete giocare a palla.
Loro possono saltare con la corda.

Per chiedere

Maestra, posso andare in bagno?
Devi finire i compiti?
Vuoi leggere un libro?

Per dare un ordine

Devi fare i compiti!

Questo... questa

(Aggettivi dimostrativi)

Questo libro è vecchio.

Questa mela è buona.

Questi disegni sono belli.

Queste scarpe sono piccole.

 **Per chiedere**

Questa penna è tua?

Ti piace questo maglione?

Uno, una, un, un'

(Gli articoli indeterminativi)

Un banco

Una palla

Uno zaino

Attenzione!

Un albero	Un'arancia
Un amico	Un'amica
Uno yogurt	

L'angolo della grammatica

Il, lo la, l'... i, gli, le
(Gli articoli determinativi)

Il panino	I panini
Lo zaino	Gli zaini
L'orso	Gli orsi
La gonna	Le gonne
L'arancia	Le arance

Io ho colorato... io ho battuto... io ho sentito
(Indicativo passato prossimo dei verbi regolari)

Colorare
Io ho colorato
Tu hai colorato
Lui/Lei ha colorato
Noi abbiamo colorato
Voi avete colorato
Loro hanno colorato

Battere
Io ho battuto
Tu hai battuto
Lui/Lei ha battuto
Noi abbiamo battuto
Voi avete battuto
Loro hanno battuto

Sentire
Io ho sentito
Tu hai sentito
Lui/Lei ha sentito
Noi abbiamo sentito
Voi avete sentito
Loro hanno sentito

Io vado... io sono andato
(Indicativo presente e passato prossimo del verbo *andare*)

Ora... oggi...	Prima... ieri.
Io vado	Io sono andato/a
Tu vai	Tu sei andato/a
Lui/Lei va	Lui/Lei è andato/a
Noi andiamo	Noi siamo andati/e
Voi andate	Voi siete andati/e
Loro vanno	Loro sono andati/e

Edizioni Edilingua

Io ho mangiato... io sono andato

(Uso dei verbi ausiliari)

Io ho mangiato	Io sono andato/a
Tu hai mangiato	Tu sei andato/a
Lui/Lei ha mangiato	Lui/Lei è andato/a
Noi abbiamo mangiato	Noi siamo andati/e
Voi avete mangiato	Voi siete andati/e
Loro hanno mangiato	Loro sono andati/e

Edmond è caduto.

Il nonno è venuto
a casa mia.

Noi abbiamo giocato
a mosca cieca.

L'angolo della grammatica

Per chiedere... per rispondere

Quale materia ti piace?	Mi piace...
Che cosa fai?	Faccio...
È facile/difficile?	Sì, è facile/difficile. No, non è facile/difficile.
Devi fare i compiti?	Sì, devo fare i compiti. No, non devo fare i compiti.
Vuoi andare al parco?	Sì, voglio... / No, non voglio.
Posso mangiare la merenda?	Sì, puoi. No, non puoi.
Puoi venire a casa mia?	Sì, posso venire. No, non posso venire.
Quando...?	Ora / Dopo / Lunedì /Martedì ...
Che ore sono?	Sono le...
Quando è il tuo compleanno?	Il mio compleanno è...
Qual è il tuo animale preferito?	Il mio animale preferito è...
Dove abiti?	Io abito in via... / Io abito in Italia, a Roma/Milano ...
Dove sei andato?	Io sono andato a Roma. Io sono stato a casa.

Edizioni Edilingua

L'angolo del taglia e incolla

unità **1**

Come siamo belli!

1 **Ritaglia i cartellini e incolla al posto giusto.** (pagina 10)

MANO

BOCCA

OCCHI

CAPELLI

ORECCHIO

BRACCIO

NASO

PANCIA

PIEDE

SCHIENA

GAMBA

VOCABOLARIO
Ritaglia, incolla le figure e scrivi. (pagina 19)

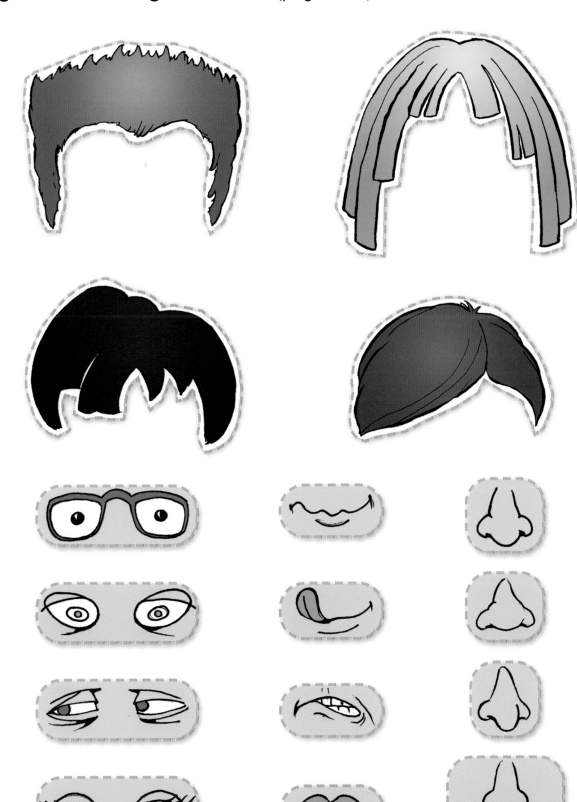

Quando facciamo i compiti?

VOCABOLARIO

2 **Ritaglia e incolla le quattro figure corrette. Metti al posto giusto.**
(pagina 29)

Intervallo!!! 1

3 **Che ore sono? Ritaglia e incolla le lancette.** (pagine 30 e 31)

unità
3

Che cosa mi metto?

●●○

1 **Ritaglia i cartellini. Ascolta la canzone "I 12 mesi" e incolla.** (pagina 37)

1 **Leggi, ritaglia le immagini e incolla al posto giusto.** (pagina 40)

VOCABOLARIO

Ritaglia le figure, incolla e colora. (pagina 43)

unità
4

Gita alla fattoria

1 Ritaglia le figure. Leggi e incolla al posto giusto. (pagina 44)

Intervallo!!! 2

1 Ritaglia e incolla i vestiti, poi descrivi Paula e Simone. (pagina 54)

Paula

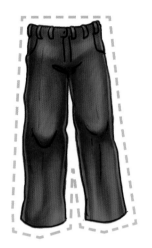
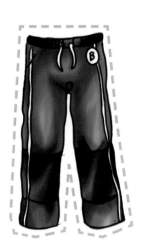

Simone

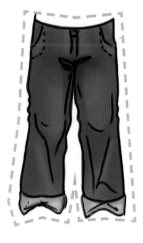

Conosciamo l'Italia

1 Ritaglia, incolla le figure e poi scrivi i nomi. (pagina 61)

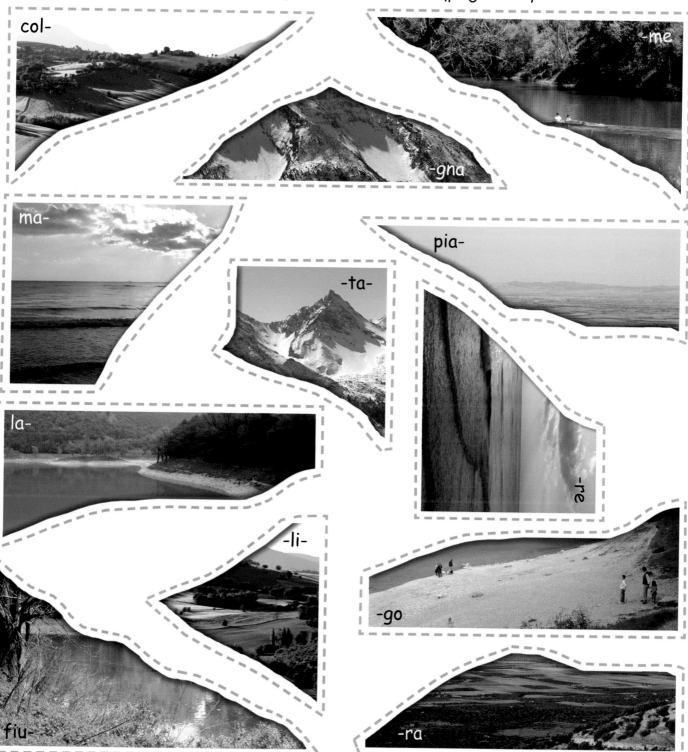

col-

-me

-gna

ma-

pia-

-ta-

la-

-re

-li-

-go

fiu-

-ra

mon-

-na

-nu-

unità
6

In gita a Roma

1 Ritaglia le immagini e incolla al posto giusto. (pagina 72)

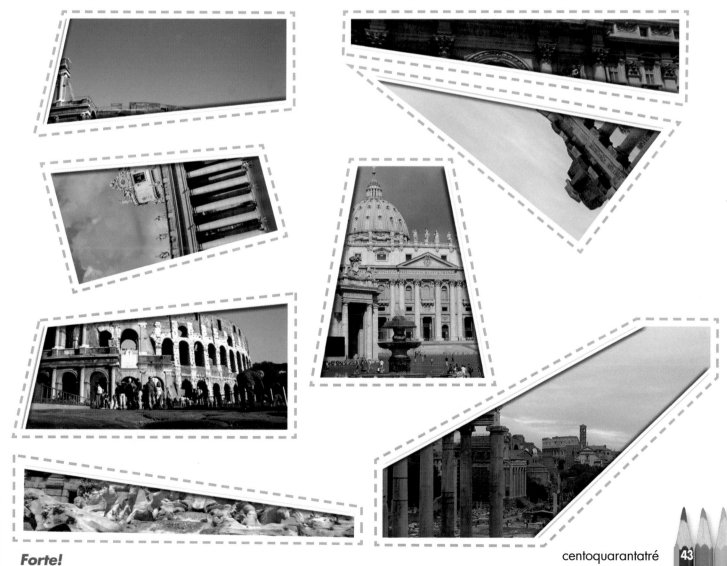

Intervallo!!! 3

1 Ritaglia e incolla le immagini, poi scrivi la cartolina. (pagina 79)

5 Il gioco dei contrari. Ritaglia i cartellini e gioca con i compagni.
(pagina 82)

PICCOLO

LARGO

ALTO

LUNGO

BELLO

VECCHIO

PULITO

SOPRA

DAVANTI

BUONO

LISCI

FUORI

BIANCO

SÌ

VERO

MI PIACE

C'È

POCO

ANCORA

APRI

GRANDE

STRETTO

BASSO

CORTO

BRUTTO

NUOVO

SPORCO

SOTTO

DIETRO

CATTIVO

RICCI

DENTRO

NERO

NO

FALSO

NON MI PIACE

NON C'È

TROPPO

BASTA

CHIUDI

Facciamo la festa!

VOCABOLARIO

Ecco la tua festa! Ritaglia e incolla le figure. (pagina 92)

Indice

*osservazione: termine con il quale indichiamo il contatto con forme e locuzioni, nel quale la riflessione metalinguistica viene rimandata a uno stadio successivo dell'apprendimento.

Forte!

	Funzioni comunicative	Lessico	Morfosintassi
Unità 4 **Gita alla** **fattoria** **pagina 44**	Esprimere e motivare preferenze riguardo agli animali (*Il mio animale preferito è ... perché...*) Raccontare un evento accaduto nel passato Comprendere un testo narrativo Comprendere e produrre un testo descrittivo	Gli animali (*cavallo, cane, mucca...*) Elementi naturali (*fiori, albero, prato...*)	Indicativo passato prossimo (*sono andato..., ho visto...*) -osservazione- Articoli determinativi (*il/la; i/le*) Nomi in *-e*

Intervallo!!! 2 - pagina 54

	Funzioni comunicative	Lessico	Morfosintassi
Unità 5 **Conosciamo** **l'Italia** **pagina 58**	Chiedere e dire dove si abita (*Dove abiti?, Abito a Roma / Abito in Italia*) Descrivere foto e immagini di luoghi (*città e paesaggi*) Chiedere di raccontare un evento passato (*Dove sei andato/a...?*) Raccontare un evento passato (*Sono andato/a... / Sono stato/a a casa*)	Lessico della geografia (*lago, mare, montagna...*) Nomi di città e luoghi italiani (*Roma, Firenze, Napoli, Venezia, Milano; Alpi, Po, Lago di Garda, Sardegna*)	Indicativo passato prossimo del verbo *andare* Aggettivi possessivi -osservazione-
Unità 6 **In gita a Roma** **pagina 69**	Scrivere una pagina di diario (*Caro diario...*) Scrivere una cartolina (*Saluti da...*) Descrivere un personaggio storico Raccontare al passato (*Siamo andati..., abbiamo visto...*)	Locuzioni temporali (*l'anno scorso, quest'anno, tanto tempo fa*) Monumenti di Roma (*Fontana di Trevi, Colosseo...*) Oggetti e personaggi del passato (*gladiatori, spada, mantello...*) Accessori (*orecchini, collana, bracciale*)	Indicativo presente del verbo *andare* Passato prossimo: formazione del participio passato (*raccontato, caduto, sentito*) Verbo *essere* + *ci* (*c'è / ci sono*) Verbi pronominali (*divertirsi...*) -osservazione- Rinforzo degli articoli determinativi

Intervallo!!! 3 - pagina 79

	Funzioni comunicative	Lessico	Morfosintassi
Unità 7 **Facciamo la** **festa!** **pagina 83**	Rinforzo e riutilizzo degli elementi comunicativi finora appresi (*Descrivere una persona, Raccontare, Scrivere una lettera, ...*)	Rinforzo e riutilizzo del lessico finora appreso (*Verbi che esprimono movimenti del corpo: alza, gira, salta; Mesi; Luoghi per le vacanze*)	Rinforzo e riutilizzo dei fenomeni grammaticali finora appresi (*Vado / Sono andato..., Giocare, Prendere, Finire, ...*)

Edizioni Edilingua

Indice CD audio *Forte! 2*

Vi aspettiamo in

Forte! 3

(livello A2)

Materiali per bambini

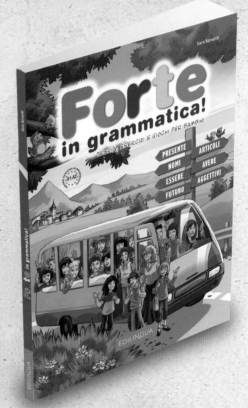

Piccolo e forte! A (4-6 anni)
Piccolo e forte! B (5-7 anni)
Corso multimediale di lingua italiana per bambini

volumi propedeutici al corso *Forte!*

Forte in grammatica!
Teoria, esercizi e giochi per bambini

livello elementare

Al circo!

Italiano per bambini

livello elementare

Nuovo Vocabolario Visuale

livello elementare - preintermedio

Collana Raccontimmagini

Prime letture in italiano

livello elementare

Giochiamo con Forte!

+ di 50 giochi per bambini che imparano l'italiano

livello elementare

Materiali per adolescenti

Progetto italiano Junior

Corso multimediale di lingua e
civiltà italiana
Livelli A1-A2-B1

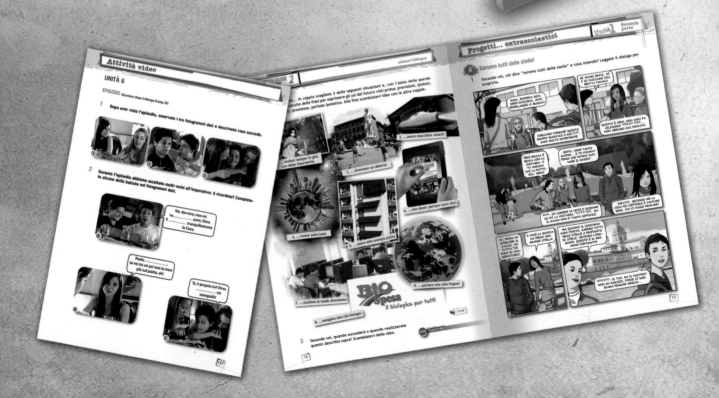